d'aujourd'hui

étranger

collection dirigée par
Jane Sctrick

LE CHEVAL BLÊME

BORIS SAVINKOV

LE CHEVAL BLÊME

JOURNAL
D'UN TERRORISTE

roman

Traduit du russe et présenté par
MICHEL NIQUEUX

PHÉBUS

Illustration de couverture :
Portrait de l'auteur
Collection particulière

Titre original de l'ouvrage en russe :
Kon' Blednyj

Pour la traduction française :
© Éditions Phébus, Paris, 2003
www.phebus-editions.com

LE TERRORISTE, L'INTELLECTUEL, ET DIEU

> *Le meurtrier n'entrera pas*
> *Dans la cité du Christ,*
> *Le Cheval blême le piétinera*
> *Et le Roi des Rois le haïra.*
>
> B. SAVINKOV [1]

Le terrorisme peut-il avoir une justification éthique?
C'est la question posée dans Le Cheval blême *(1908),*
roman en forme de journal intime transcrivant la confes-
sion d'un chef terroriste sans foi ni loi qui prépare un
attentat contre le gouverneur général de Moscou. Poli-
tique, mysticisme, amour et sexe, scrupules et cynisme
soudent ou opposent les cinq membres du commando, dont
un seul échappera à la mort, à la pendaison ou au suicide.
Le récit est d'autant plus remarquable qu'il est pour
l'essentiel autobiographique, son auteur, Boris Savinkov
(qui avait pris pour l'occasion le pseudonyme de
Ropchine), étant à l'époque l'un des plus célèbres terro-
ristes russes et le cerveau de l'attentat qui coûta effective-
ment la vie au grand-duc Serge, gouverneur général de
Moscou, le 4 février 1905.

Révolutionnaire socialiste puis anticommuniste, rallié
enfin aux bolcheviks qui l'emprisonnèrent, Savinkov

---

1. V. Ropchine (B. Savinkov), *Kniga Stixov. Posmernœ (Livre de vers, édition posthume).* Rodnik, Paris, 1931, p. 6 (poésie de 1911).

(1879-1925), terroriste et écrivain, était lui-même un personnage de roman. Une biographie lui a été consacrée en France, où il écrivit Le Cheval blême, *et une autre aux États-Unis*[1]. *Ses* Souvenirs d'un terroriste, *deux fois traduits en français*[2], *ont eu une influence considérable sur des penseurs comme Lukács ou Camus. En Russie, depuis la perestroïka, ses récits et ses souvenirs sont réédités, de gros volumes de documents inédits ont été publiés, un site internet lui est consacré*[3]. *Non qu'il soit question d'en faire un modèle ou un héros, mais parce qu'il a joué un rôle historique certain, qu'il éclaire notre actualité, et qu'il est un écrivain de talent.*

Victor Serge, anarchiste devenu compagnon de route des bolcheviks qui le déporteront dans l'Oural – d'où une campagne d'intellectuels français le libérera en 1936 –, a laissé un portrait incisif de Savinkov, adjoint de Kerenski au ministère de la Guerre du gouvernement provisoire, pendant l'été 1917 :

« Boris Savinkov est ministre de la Guerre. Figure singulière, très forte, de grand aventurier politique. Militant socialiste-révolutionnaire, écrivain, romancier, quelque peu poète même, terroriste, bon organisateur, Savinkov est l'une des illustrations du mouvement révolutionnaire. A la tête de l'Organisation de combat du parti socialiste-révolutionnaire, il a, pendant des années, dirigé l'action terro-

---

1. Jacques-Francis Rolland, *L'homme qui défia Lénine : Boris Savinkov*, Grasset, 1989, 330 p.; Richard B. Spence, *Boris Savinkov : Renegade on the Left*, New York, Boulder, 1991, 540 p.
2. B. Savinkov, *Souvenirs d'un terroriste*, traduction par B. Taft, Payot, 1931; traduction par Régis Gayraud, Éditions Champ Libre, 1982.
3. http://savinkov.by.ru/

riste d'un parti qui compta des Guerchouni, des Kaliaev, des Sozonov, des Balmatchev. Il a minutieusement préparé l'exécution du grand-duc Serge et du Premier ministre Plehve, un des serviteurs les plus redoutables de l'autocratie; il a participé lui-même à ces actions. Il s'est penché, dans la rue terrifiée de Petrograd, sur le cadavre de Plehve, pour constater sa réussite. Dans toutes ces périlleuses entreprises, il s'est trouvé le collaborateur intime de l'agent provocateur Azev, autre chef de l'Organisation de combat. Ce terroriste intrépide est l'auteur de deux romans : Ce qui n'advint pas, *et* Le Cheval blême *(1906), empreints du plus profond désarroi moral, où l'inanité de l'effort révolutionnaire est comme écrite avec du sang. Terroriste professionnel, habitué à exécuter des ennemis autant qu'à sacrifier délibérément les meilleurs d'entre ses compagnons de lutte, avec, au fond, cette absence totale de confiance et de foi en la révolution, c'était bien un homme capable de tout, sauf de comprendre un vaste mouvement de masse et d'apprécier avec justesse les forces sociales en présence. Car nul n'est plus éloigné d'être un chef révolutionnaire que le dilettante*[1]. »

Churchill, qui rencontra Savinkov en 1921, loua l'«implacable franchise» du Cheval blême, *et fit le panégyrique de son auteur dans sa galerie des* Grands contemporains *(1938) : «Malgré les malheurs qu'il a éprouvés, les*

---

1. V. Serge, « Lénine 1917 » [1924], in *Mémoires d'un révolutionnaire et autres écrits politiques 1908-1947* (éd. Jean Rière et Jil Silberstein), Robert Laffont (Bouquins), 2001, p. 197. Les erreurs de détail de ce portrait se trouvent implicitement corrigées dans la suite de la présente introduction.

dangers qu'il a surmontés, les crimes qu'il a commis, il a manifesté la sagesse d'un homme d'État, le talent d'un général d'armée, le courage d'un héros, l'endurance d'un martyr. »

Boris Savinkov était né en 1879 à Kharkov d'une mère ukrainienne et d'un père russe, de petite noblesse, juge à Varsovie – alors chef-lieu de la « province de la Vistule » rattachée à l'Empire russe. Toute la famille avait des sympathies pour les révolutionnaires (le père sera démis de ses fonctions en 1905). Le jeune Boris poursuit des études à Varsovie, puis à l'université de Saint-Pétersbourg, d'où il est exclu en 1899 pour sa participation au mouvement de protestation étudiant en tant que militant du parti social-démocrate. Après avoir terminé ses études à Berlin puis à Heidelberg, il est arrêté en 1901 et envoyé en relégation à Vologda, où il fraye avec d'autres bannis promis à de brillants destins : le philosophe Nicolas Berdiaev, l'écrivain Nicolas Remizov qui émigrera en France en 1921 et qui le décrira comme « tueur de lions » et « titan », Lounatcharski, futur commissaire du peuple à l'Instruction. En 1903, Savinkov quitte illégalement la Russie et se rend à Genève, alors véritable nid pour les révolutionnaires russes. Il avait décidé d'adhérer au parti socialiste-révolutionnaire après avoir rencontré à Vologda Ekaterina Brechko-Brechkovskaïa : née en 1844, la « grand-mère de la révolution russe » prônait et organisait le terrorisme au sein du parti socialiste-révolutionnaire qui se voulait l'héritier du mouvement « La Volonté du peuple », responsable en 1881, après six *tentatives, de l'assassinat d'Alexandre II, le «tsar-libéra-teur» (il avait émancipé les paysans en 1861... et l'on sait que les réformateurs ont le malheur de susciter la suren-chère extrémiste).* Le parti socialiste-révolutionnaire (constitué en 1901) s'appuyait sur les revendications égali-taristes des paysans et voyait dans l'«action directe» (en français dans les Souvenirs d'un terroriste) un moyen de hâter la révolution.

A Genève, le désir de Savinkov de prendre part au ter-rorisme est exaucé par Azef, qui en 1908 sera démasqué comme «provocateur» (agent double, il organisait cer-tains attentats tout en en dénonçant d'autres). Azef le charge de réaliser l'attentat contre le ministre de l'Intérieur Plehve, dont il a conçu le plan. Après Plehve – tué le 15 juillet 1904 (un an après son prédécesseur) à Saint-Pétersbourg par Egor Sozonov[1] –, Savinkov est chargé d'organiser l'attentat contre le grand-duc Serge, gouverneur général de Moscou, oncle et beau-frère de Nicolas II. Le grand-duc sera tué le 4 février 1905 par Ivan Kaliaev (principal prototype de Vania dans Le Cheval blême), que la grande-duchesse ira voir dans sa prison pour lui remettre une icône.

Dans les deux cas, les terroristes avaient choisi des

---

1. Les lettres de Sozonov ont été récemment publiées : «*Èto ja vino-vat...*» *Èvoljucija i ispoved' terrorista : Pis'ma Egora Sozonova s kommen-tarijami* («*C'est moi qui suis coupable...*» *Évolution et confession d'un terroriste : Lettres commentées d'Egor Sozonov*), éditées par A. F. Savin, Moscou, Jazyki slavjanskoj kul'tury, 2001, 520 p.
   Sozonov (1879-1910) était né dans une famille de vieux croyants monarchistes. Cf. l'article de V. Serge «Deux Russes : Léon Tolstoï et Egor Sozonov» (1910), *in* Victor Serge, *op. cit.*, p. 37-42.

cibles largement honnies : le nom de Plehve, ancien chef de la police, était associé à la politique de russification forcée des populations allogènes, à la répression des paysans ukrainiens et géorgiens, aux pogromes antijuifs, à l'idée d'« arrêter la marée révolutionnaire par une petite guerre victorieuse » contre le Japon ; quant au grand-duc Serge, il était « le symbole de l'oppression » (H. Carrère d'Encausse). C'est pourquoi les « bombistes », comme on appelait alors les terroristes (ils usaient principalement de bombes à base de dynamite et périssaient souvent avec leur victime), bénéficiaient d'un vaste mouvement de sympathie. Le poète Aleksandr Blok (qui s'inspirera de Kaliaev pour son poème « Châtiment ») écrit en février 1909 à V. Rozanov qu'il ne condamne pas présentement le terrorisme, tant est grande la haine collective contre les « bêtes d'État les plus nuisibles ». La fille de Tolstoï, Tatiana, écrit dans ses mémoires qu'il est « difficile de ne pas se réjouir » de l'attentat qui venait de coûter la vie au grand-duc.

Le terrorisme n'est pas une invention russe, mais il a trouvé en Russie un terrain privilégié et il est un phénomène majeur de l'histoire du pays[1]. On a souvent expliqué son importance par des considérations ethno-psychologiques :

---

1. Cf. Général A. Spiridovitch, *Histoire du terrorisme russe 1886-1917*, Payot, 1930. G. I. Guerassimov, *Tsarisme et terrorisme*, Plon, 1934. C. Fauré, *Quatre femmes terroristes contre le tsar*, François Maspero, 1978. Jocelyne Fenner, *Les Terroristes russes*, Ouest-France Université, 1989. Anna Geifman, *Thou Shalt Kill : Revolutionary Terrorism in Russia, 1894-1917*, Princeton (N. J.), Princeton University Press, 1993. E. I. Shcherbakova, *Politicheskaja policija i politicheskij terrorizm v Rossii (2-aja polovina XIX-nachalo XX vv.)* [*La Police politique et le terrorisme politique en Russie (2e moitié du XIXe s. - début du XXe)*], Moscou, AIRO-XX, 2001.

l'«*âme russe*» *serait portée aux extrêmes dans sa quête utopique d'un royaume de Dieu sur terre (dans* Le Cheval blême, Vania *incarne ce type d'utopie*[1]). *Mais il est surtout né des contradictions entre une modernisation occidentale de la Russie rapide quoique restreinte, et un pouvoir autocratique dont les réformes n'arriveront jamais à satisfaire les révolutionnaires ni même les libéraux. Contradiction que l'on retrouvait non seulement dans le politique, mais aussi dans le social et dans le religieux :* «*Maintien tardif de l'absolutisme autocratique, développement d'une classe déracinée d'intellectuels refusant le service de l'État et cherchant à servir la Cause, culte du dévouement personnel, ascétique, du militant (le nihiliste des années 1860*[2])*.*» *Après une première vague terroriste (1866-1881) due à* «*La Volonté du peuple*», *une seconde vague d'attentats (plus de deux cents), perpétrés contre les ministres et les représentants de l'État policier, se produisit entre 1901 et 1906*[3]. *Elle fut l'œuvre de la branche armée du parti socialiste-révolutionnaire – de son* «*Organisation de combat*» *créée par Guerchouni (enterré au cimetière du Montparnasse en 1908) puis dirigée par Azef qui avait fait arrêter Guerchouni en 1903 –, ainsi que de groupes locaux ou dissidents. Ces attentats contribuèrent, avec les grèves et les jacqueries, à*

---

1. Cf. L. Heller, M. Niqueux, *Histoire de l'utopie en Russie*, PUF, 1995.
2. Georges Nivat, «Les chevaliers de l'Apocalypse», *Vers la fin du mythe russe*, L'Age d'Homme, 1982, p. 110.
3. Cf. Jacques Baynac, *Les Socialistes-révolutionnaires de mars 1881 à mars 1917*, Robert Laffont, 1979, p. 71 et p. 184, avec les chiffres cités par Stolypine pour 1906-1908, où terrorisme et banditisme tendent à se confondre : 26 268 attentats, 6 091 fonctionnaires et particuliers tués, plus de 6 000 blessés, 2 000 terroristes pendus (la peine de mort, abolie en Russie dès 1754, subsistait pour les criminels d'État).

contraindre Nicolas II à limiter l'autocratie en instaurant un parlement (la Douma) et accorder des libertés individuelles et publiques (Manifeste du 17 octobre 1905). Avant d'être pendu le 10 mai 1905, Ivan Kaliaev décrivit devant le tribunal le contexte dans lequel se développait le terrorisme :

« Deux mondes s'entrechoquent : la vie qui bouillonne et celle qui stagne, la civilisation et la barbarie, la violence et la liberté, l'autocratie et le peuple. Et regardez le résultat : le déshonneur de la défaite sans précédent d'une puissance militaire [dans la guerre russo-japonaise de 1904-1905], la banqueroute financière et morale d'un État, une monarchie qui se décompose de l'intérieur, et en même temps, dans les régions dites frontalières, un développement naturel des aspirations à l'autodétermination politique. Et partout, un mécontentement généralisé, l'essor des partis d'opposition, les révoltes sporadiques du peuple laborieux, qui ne demandent qu'à devenir une révolution véritable, au nom du socialisme et de la liberté. Et sur cette toile de fond, des actes terroristes… »

La « terreur politique » a pour but de déstabiliser le pouvoir et de prouver aux masses la possibilité de la lutte. Elle est le détonateur d'une révolution qui, la guerre aidant, finira par advenir, sans toutefois apporter la liberté qu'espéraient les terroristes.

En 1906, Savinkov organise encore deux attentats (manqués) contre Doubassov, le gouverneur général de Moscou qui avait succédé au grand-duc Serge, et contre le ministre de l'Intérieur Dournovo. Arrêté en mai 1906 à Sébastopol (sur dénonciation d'Azef), alors qu'il s'apprêtait à perpétrer lui-même un attentat contre l'amiral Tchoukhnine, Savinkov est condamné à mort. Mais son parti organise son évasion, et il passe en Roumanie puis en France, où il reste sans activité de septembre 1906 à juin 1908. C'est là qu'il écrit, en 1908, Le Cheval blême, où les attentats de 1904-1906 servent de sujet à une sorte d'autofiction et d'autocritique sur lesquelles nous reviendrons. Le livre, publié en Russie en 1909, le rend célèbre. A Paris, Savinkov mène la vie de bohème du Montparnasse de l'époque avec Modigliani, Ehrenbourg, Picasso, Cendrars, Apollinaire – qui le présente comme « notre ami l'assassin[1] ». Toujours tiré à quatre épingles, le visage de marbre, le regard froid et méprisant, coiffé d'un éternel melon noir, il boit et fréquente les filles. C'est un pilier de la Rotonde – « un tas de fumier », écrit-il à Volochine en septembre 1915. En 1912 paraît un second récit, Ce qui ne fut pas (Trois frères[2]), encore plus désenchanté, où il est question de la révolution de 1905, à travers le destin de trois frères terroristes qui périront l'un après l'autre. Leonid Andreïev, le grand nouvelliste, auteur de récits empreints de sympathie pour les terroristes (Le Gouverneur, 1906, inspiré comme Le Cheval blême par l'attentat contre le grand-duc, mais « vu » du côté du gouverneur ; Les Sept Pendus,

---

1 Cf. J.-F. Rolland, op. cit., p. 154 (« Ropchine et les Montparnos »). Cf. aussi la correspondance entre Ehrenbourg, Savinkov et Volochine (1915-1918) publiée dans Zvezda, 2, 1996, p. 156-201.

2. Boris Savinkov, Ce qui ne fut pas, traduction par J.-W. Bienstock, Payot, 1921, 332 p. Réédition : Éditions 13 bis, Paris, 1985.

1908), n'aime pas ce « bombiste repentant ». Plekhanov, le père du marxisme russe, marquera quant à lui son intérêt pour cette autocondamnation du terrorisme individuel. C'est probablement en 1912-1913 que Savinkov écrivit un troisième récit composé sous la même forme du journal intime que Le Cheval blême, *mais qui restera inédit jusqu'en 1994[1]. L'ennui métaphysique pèse sur le narrateur, George, prisonnier de son passé, retiré sur la Côte d'Azur :* « Mon passé me pèse. Je ne le regrette pas. Mais le sang ne peut être lavé, brûlé, vaincu. Qui a tué est un bagnard aux fers. [...] Ma vie est un cimetière. [...] Où est le salut ? L'aide ? Auprès de qui chercher refuge ? Quel Dieu prier[2] ? »

C'est la guerre qui va permettre à Savinkov de reprendre du service. En 1914, il devient correspondant de guerre sur le front français[3]. Après la révolution de février 1917, il revient en Russie ; en juillet, Kerenski le nomme commissaire politique de la VIIe Armée, où il rétablit la discipline, puis en fait son adjoint à la tête du ministère de la Guerre. Accusé d'avoir soutenu la tentative de coup d'État de droite de Kornilov contre le gouvernement provisoire jugé trop laxiste, il est limogé et exclu du parti socialiste-révolutionnaire.

Après la prise du pouvoir par les bolcheviks à l'automne,

---

1. « *Neizvestnaja rukopis' B. V. Savinkova* » *(Un manuscrit inconnu de B. V. Savinkov),* publication de V. Leonidov, *Znamia* 5, 1994, p. 152-167. Cf. D. Zhukov, « *B. Savinkov i V. Ropchine. Terrorist i pisatel'* » *(B. Savinkov et V. Ropchine : le terroriste et l'écrivain), Nach sovremennik,* 9, 1990, p. 165).

2. « En tuant, Savinkov se sentait en train d'être tué. Il disait que le poids du sang des tués pesait sur lui. » (Z. Hippius-Merejkovskaïa, *Merejkovski,* YMCA-Press, Paris, 1951, p. 162.)

3. Ses correspondances du front furent réunies en deux volumes et parurent à Moscou en 1916-1917 *(En France durant la guerre).*

Savinkov passe à l'opposition armée : il rejoint les armées blanches du Don, puis dirige à Moscou une association clandestine d'officiers antibolcheviks, l'« Union de défense de la patrie et de la liberté », forte de cinq mille cinq cents membres, qui organisera en juillet 1918 (avec le soutien de l'ambassadeur de France Noulens) une insurrection à Yaroslav, que les bolcheviks mettront deux semaines à écraser. On retrouve ensuite Savinkov à Paris, comme chef de la mission militaire de l'amiral « blanc » Koltchak, auquel il fait parvenir armes et subsides ; puis en Pologne (1920), où il forme une « armée russe » (trente mille hommes) financée par la Pologne et la France. Après quelques succès en Biélorussie, elle sera défaite par les armées bolcheviques, et laissera derrière elle le souvenir de pogromes antijuifs, de pillages et de viols – exactions que Savinkov condamne dans le journal qu'il édite à Varsovie, Pour la liberté !, *et qui vont émailler son troisième récit,* Le Cheval noir (Kon' voronoj), *paru en russe à Paris en 1923, puis à Moscou en 1924. Sous la forme de carnets d'un certain lieutenant George, il montre la dégradation des combattants antibolcheviks pervertis par la violence et le banditisme, et les souffrances du peuple exsangue. Le titre, comme celui du* Cheval blême, *est tiré de l'Apocalypse, 6, 5 : le cheval noir est celui qui tient une balance (symbole de la famine) : Rouges, Blancs et Verts ont chacun raison. Mais déjà, la balance de Savinkov penche vers les Rouges, dont il attend au moins qu'ils mettent fin à la guerre fratricide. Ce récit, inédit en français*[1], *est l'un des témoignages littéraires les*

---

1. Des extraits sont traduits dans le livre de J.-F. Rolland, *op. cit.*, p. 268 sq.

plus saisissants sur la guerre civile, à côté de Cavalerie rouge *de Babel.*

Après l'échec de sa campagne de Russie, Savinkov refonde en juin 1921 l'« Union de défense de la patrie et de la liberté », qui prône une « Troisième Russie », ni monarchiste ni bolchevique mais démocratique, en espérant le soutien de la paysannerie (des « Verts »). Il infiltre des commandos de terroristes et d'espions en Russie soviétique. Contraint de quitter la Pologne en octobre 1921 à la suite du traité de paix soviéto-polonais, il revient à Paris, cherche des appuis auprès de Llyod George, de Churchill, de Mussolini (en 1923), dont le fascisme populiste (mais non son impérialisme) l'attire. Savinkov a aussi une rencontre secrète avec l'ambassadeur des Soviets en Angleterre, L. B. Krassine[1]. Dès lors, il est peu à peu « retourné », dans le cadre d'une opération montée en mai 1922 par le Guépéou sous le nom de code de « Syndicat-2 ». Des émissaires lui font croire qu'il existerait en Russie soviétique une organisation de « démocrates libéraux » à la recherche d'un chef : ainsi trahi par des agents doubles et leurré d'autant plus aisément qu'il est déçu par les Blancs comme par les Verts, Savinkov franchit illégalement la frontière le 15 août 1924 et est arrêté à Minsk le 16. Son procès s'ouvrit le 27 août devant la cour militaire du Tribunal suprême de l'URSS. Il reconnut toutes les charges de l'acte d'accusation et le 29 août il fut condamné à la peine de mort,

---

1. Cf. Michel Heller, « Krassine-Savinkov : Une rencontre secrète », *Cahiers du monde russe et soviétique*, XXVI (1), 1985, p. 63-68. En 1904-1907, Krassine fabriquait les explosifs pour le parti bolchevik.

immédiatement commuée en réclusion (dix ans). La capitulation de Savinkov sera publiée dans la Pravda *du 13 octobre 1924 sous le titre «Pourquoi j'ai reconnu le pouvoir soviétique» : «Les ouvriers et les paysans soutiennent leur pouvoir soviétique, ouvrier et paysan. La volonté du peuple fait loi [...] Que mon peuple ait ou non raison, je ne suis que son humble serviteur [...] Assez de sang et de larmes.» Que «la révolution repose sur l'intimidation» et la «terreur rouge», comme Trotski le défendait contre Kautski dans* Terrorisme et communisme *(1920), ne le trouble plus : le patriotisme l'a emporté. Dans ses lettres et ses articles écrits de prison, il appelle ses anciens compagnons d'armes à cesser la lutte et reprend à son compte la propagande soviétique sur la mansuétude des bolcheviks et leurs succès. On devine le retentissement de ses déclarations en Occident. L'énigme de son retour en URSS et celle du verdict de clémence firent naître toutes sortes de suppositions, et dans le camp des émigrés, on ne manqua pas de le traiter de renégat et de traître. D'autant plus qu'à Moscou, à la prison de la Loubianka, il jouissait de conditions de détention uniques : cellule individuelle, livres, journaux, écriture (huit heures par jour), visites de sa maîtresse, la Française L. E. Dikhof-Derenthal, promenades (accompagnées) dans Moscou et les environs... Il trouve dans les tchékistes des «révolutionnaires convaincus et honnêtes», qui lui rappellent ses camarades de l'Organisation de combat. Il écrit des nouvelles (publiées après censure) et tient son journal, entrecoupé, comme dans* Le Cheval blême, *de notations sur la nature et de considérations sur la littérature*[1]. *Le 7 mai 1925, Savinkov écrit à Dzerjinski :* « *Ou bien vous me fusillez, ou bien vous me donnez la possibilité de travailler; j'étais contre vous, maintenant je suis avec vous; mais je ne peux pas rester entre les deux.* » *Le soir même, il se suicide : il se serait jeté par une fenêtre dans la cour de la prison. La* Pravda *ne l'annonça que le 13 mai. Soljenitsyne s'est fait l'écho, dans* L'Archipel du Goulag *(chap. I, 9), de récits de tchékistes selon lesquels il aurait été défenestré. Le gros volume de documents inédits sur les dernières années de la vie de Savinkov récemment publié à Moscou*[2] *rend la thèse du suicide plus plausible. Qu'il y ait eu ou non un* « *marché* » *de conclu entre les autorités soviétiques (divisées sur le sort à réserver au prisonnier) et Savinkov, celui-ci était en droit d'espérer une reconnaissance de son ralliement au régime. Ce* « *tueur de lions* » *ne pouvait rester en cage, fût-elle dorée. Et le gouvernement soviétique, qui avait réussi le retournement de son plus irréductible adversaire, n'avait guère de raisons de* « *liquider* » *cet agent d'influence. En 1926, les ultimes lettres et articles du prisonnier seront édités à Moscou à cinquante mille exemplaires. Le joueur floué dans ses ambitions, le patriote retenu prisonnier a sans doute voulu rejoindre son héros du* Cheval blême *ou de* Ce qui ne fut pas. *L'œuvre littéraire fournit peut-être la clé du mystère Savinkov.*

---

1. Cf. extraits *in* V. Chentalinski, « Le dossier de Boris Savinkov », *in Les Surprises de la Loubianka : Retour dans les archives littéraires du KGB,* Robert Laffont, 1996, p. 86-160.
   2. *Boris Savinkov na Lubianke. Dokumenty* (éd. A. L. Litvin et al.), M. Rosspen, 2001.

C'est donc en France, en 1908, avant de s'attacher à reconstituer une Organisation de combat (1909-1911), que Savinkov avait entrepris d'écrire son premier roman, Le Cheval blême. *Il est admis que le récit s'inspire de l'attentat contre le grand-duc Serge, perpétré le 4 février 1905 sur la place du Sénat, au Kremlin, par Ivan Kaliaev, dit « le Poète », qui avait renoncé à une première tentative pour éviter de tuer des enfants innocents. Savinkov déplace l'action en 1906, ainsi que le montrent certains indices historiques, et le journal du narrateur court du 6 mars au 5 octobre, du printemps à la fin de l'automne : trois saisons chargées de symbolisme et qui correspondent aux trois parties du récit. Ce décalage permet notamment à l'auteur d'introduire le motif des rapports entre l'Organisation de combat et le Comité central du parti (représenté dans le récit par Andreï Petrovitch) qui veut suspendre le terrorisme pendant la première session de la Douma. A la lecture des* Souvenirs d'un terroriste, *écrits en 1907-1909, on reconnaît nombre de détails qui se rapportent plutôt à l'attentat manqué d'avril 1906 contre Doubassov, ainsi qu'à l'attentat de 1904 contre Plehve. De même, les cinq terroristes du récit, tous bien typés, n'ont pas pour prototype unique le commando de 1905.*

A ces différentes strates temporelles (1904-1906) s'ajoute celle du temps de l'écriture (1908), perceptible dans les réflexions religieuses et éthiques de Vania ainsi que dans l'histoire d'amour qui forme un contrepoint à l'action terroriste en révélant la vacuité cynique de George. Savinkov était en train de s'éloigner de sa famille (il avait épousé

en 1899 la fille du célèbre écrivain populiste Gleb Ous-
penski, et avait eu deux enfants) pour en fonder une autre
avec la sœur du socialiste-révolutionnaire qui l'avait aidé à
s'enfuir de la prison de Sébastopol, Evguenia Ivanovna
Silberberg, divorcée. La seconde femme du récit, Elena, que
George aime despotiquement, défend l'amour libre contre
la «vieille morale», tout comme Savinkov à l'époque[1]*. Le*
meurtre du mari d'Elena par George appartient à la fiction,
mais on peut facilement y trouver l'expression du désir
secret de Savinkov, le roman laissant transparaître maints
aspects de l'inconscient du terroriste-écrivain.

Le Cheval blême *est toutefois bien autre chose que la*
confession d'un terroriste. Il est avant tout une interro-
gation sur le deuxième commandement biblique «Tu ne
tueras pas». Cette interrogation, qui oppose George et
Vania sur fond de citations bibliques et de réminiscences
de Dostoïevski, doit beaucoup aux discussions que
Savinkov avait alors avec trois importants représentants
de l'intelligentsia russe installés à Paris après la révolu-
tion de 1905 : Dmitri Merejkovski (1866-1941), sa femme
Zinaïda Hippius, poète symboliste et critique (1869-
1945), et Dmitri Philosophoff (1872-1940), tous trois oppo-
sés au tsarisme et à l'Église instituée, et prophètes d'une
«nouvelle conscience religieuse» ou religion de l'Esprit.
Hippius et Merejkovski, intellectuels en chambre, fascinés
comme tant d'autres par les terroristes qu'ils considé-
raient comme des ascètes et des martyrs, avaient insufflé

---

1. Cf. la lettre de Savinkov à Véra Figner du 3 juillet 1907, *Minuvshee.*
Istoricheskij al'manach. M. - SPb, 1995, 18, p. 195-197.

à Savinkov, qui n'était pas un esprit religieux, la conception mystique du terrorisme professée par Vania. Zinaïda Hippius écrit : «C'est lui [Savinkov], bien sûr, qu'il a décrit, sa vie révolutionnaire, mais l'idée de tout le roman est empruntée aux thèses de la conférence de Dm. S. [Merejkovski] sur "La violence[1]"». Conférence qui reprenait les idées développées par Z. Hippius dans un article du recueil collectif du « trio » merejkovskien, Le Tsar et la Révolution, paru en français en 1907. Hippius distinguait le «meurtre accompli par le révolutionnaire et le meurtre infligé par le pouvoir» et terminait en s'exclamant : «A ceux qui, terrifiés par la violence de la lutte, à cause de cela ne combattent pas et se soumettent, on voudrait crier : Oui, oui, la violence n'est pas juste, mais justifiée! On ne peut pas faire couler le sang, c'est impossible. Mais pour que cette impossibilité devienne réelle, il le faut[2]!» Cette antinomie du «impossible mais nécessaire» (en russe : nelzia i nado, formule que Z. Hippius revendique comme sienne) fonde une «théologie» de la violence que Vania défend dans le récit. Vania trouve dans saint Jean la justification de son engagement : «Il n'y a pas de plus grand amour que de donner son âme pour ses amis[3].» La violence est justifiée par le but

---

1. Z. Hippius-Merejkovskaïa, op. cit., p. 181.
2. Z. Hippius, « La révolution et la violence », in D. Merejkowsky, Z. Hippius, Dm. Philosophoff, *Le Tsar et la Révolution*, Mercure de France, Paris 1907, p. 132. Cf. aussi J. Scherrer, « Pour une théologie de la révolution. Merejkovski et le symbolisme russe », *Archives de sciences sociales des religions* 45/1, 1978, p. 27-50.
3. Jean, 15,13 (Vania cite la Bible synodale russe qui, comme la Vulgate, donne « âme » au lieu de « vie » des traductions actuelles). Vania est proche de Sozonov, qui écrivait à Savinkov : « J'ai de l'amour, l'amour

« humaniste » qu'elle poursuit – l'instauration du paradis terrestre – et par le sacrifice des tueurs.

A l'opposé de celui de Vania, l'acte de George, égoïste et possessif, qui tue le mari de sa maîtresse Elena, n'est pas « racheté », justifié par le sacrifice de soi et l'amour de l'humanité, et il conduit donc son auteur au suicide : tout n'est pas permis. C'est là un thème dostoïevskien. Les lecteurs de Dostoïevski reconnaîtront facilement, au fil du texte, les nombreux échos venus de Crime et châtiment *(Raskolnikov), des* Carnets du sous-sol, *des* Démons *(Stavroguine, Chigaliov), des* Frères Karamazov *(Smerdiakov, Aliocha Karamazov, qui dans le projet de Dostoïevski devait devenir un terroriste).* George est du côté des héros nihilistes de Dostoïevski, avec le Grand Inquisiteur des Karamazov *pour lequel la fin justifie les moyens, contre Dostoïevski et contre Tolstoï (cf. « Tu ne tueras pas » de Tolstoï, 1900). Le thème du double – du dédoublement entre Savinkov et Ropchine, entre le terroriste et l'écrivain, entre George et Vania, entre la haine et l'amour – est profondément dostoïevskien.*

Les lettres de Hippius à Savinkov de 1908-1909, qui viennent récemment d'être publiées[1]*, confirment le rôle idéologique mais aussi littéraire de Hippius dans l'élaboration du roman. Savinkov est véritablement son filleul littéraire. Ainsi, c'est Hippius qui a proposé le titre et l'épi-*

pour le but, le but d'agir au nom de l'amour, en allant jusqu'au péché. »
Vania est le diminutif d'Ivan (Jean) ; c'était aussi le prénom de Kaliaev.
On constatera que Savinkov cite fréquemment l'évangéliste de Patmos.

1. *Russkaja literatura* 3, 2001, p. 126-162 (publication de E. I. Gontcharova). Cf. Z. Hippius, *« Korichnevaja tetrad' »* (« Le cahier marron »), *Vozrozhdenie*, Paris, 1970, n° 221.

graphe, empruntés à l'Apocalypse[1], et qui a « légué » à Savinkov le pseudonyme de Ropchine, qu'elle avait utilisé pour un article de 1906, en modifiant seulement l'initiale du prénom : le N. sera remplacé par un V. (V[eniamin], c'est-à-dire Benjamin, l'un des noms de code de Savinkov). Ropchine est formé sur le nom de Ropcha, château où en 1762 fut assassiné Pierre III, peu après le complot qui permit à son épouse de devenir Catherine la Grande. Les lettres de Zinaïda Hippius contiennent beaucoup de remarques sur le style et sur les personnages : Hippius, qui rejetait la sexualité dans sa quête de l'androgyne originel, regrettait que les relations de George et d'Elena fussent aussi traditionnelles. La prose artistique, qui tire tous ses effets de sa simplicité apparente et de sa sobriété, l'impressionnisme des notations de la nature, avec leur valeur symbolique, ressortissent à la littérature moderniste de l'époque. L'absence de subordonnées (le « je dis », « il dit » suivi de deux points) peut être ressentie comme une influence biblique. Savinkov poursuivra jusque dans sa prison la recherche du mot juste, et conservera une grande sensibilité à la nature. Z. Hippius se chargea aussi de censurer ce qui risquait de faire interdire la diffusion du récit (la censure préalable avait été abolie fin 1905) : ainsi furent gommées toutes les indications géographiques et toponymiques, ainsi que certains mots ou paragraphes trop précis sur l'attentat (dans une vingtaine de chapitres). Ces précautions permettront au récit d'être publié sans

---

1. Le titre a été repris par J. Baynac pour un roman historique sur la révolution russe (Denoël, 1998).

encombre à Moscou en janvier 1909 dans la revue Russkaja mysl', *dont Merejkovski était le directeur littéraire, puis aux éditions modernistes Chipovnik. En France, le récit sera traduit dans la* Grande Revue *du 25 août 1912, ou plus exactement « adapté du russe avec autorisation de l'auteur par Mali Krogius et Henriette Hamon[1]». Les coupures sont encore plus importantes que dans l'édition russe (plus du tiers du texte), et l'euphémisation du récit est poussée à l'extrême (ainsi, le mot* terrorisme *est soigneusement évité). Savinkov rétablira le texte original pour une nouvelle édition qui parut en russe à Nice en 1913 (contrairement aux rééditions publiées ces dernières années en Russie, qui reprennent toutes l'édition censurée de 1909, notre traduction suit cette édition de Nice[2] – la seule qui puisse être qualifiée de complète).*

Le bref roman de Ropchine-Savinkov fit grand bruit. Les écrivains de gauche (Leonid Andreïev, Gorki) jugèrent le désenchantement du terroriste (George) antirévolutionnaire et nihiliste. Merejkovski, au contraire, dans un article publié par le grand quotidien Retch *(27 septembre 1909), souligne les qualités du style, la précision, le laconisme, l'art du raccourci, hume l'odeur de la dynamite mêlée à l'encens de l'Apocalypse, estime que les influences de Dostoïevski, de Nietzsche, du décadentisme, du symbolisme, du mysticisme ne font qu'aiguiser le sens*

---

1. Je remercie M. Jean Rière pour l'indication de cette référence.
2. Accessible sur Internet : http://lib.ru/MEMUARY/1917-1924/SAWIN-KOW/konbled.txt.

du récit, et déclare : « Si l'on me demandait en Europe quel est le livre le plus russe et celui qui permet de juger de l'avenir de la Russie, après les grandes œuvres de L. Tolstoï et de Dostoïevski, j'indiquerais Le Cheval blême [1]. *» Merejkovski retrouvait en effet ses idées (et celles de Hippius) dans le personnage de Vania, qui pose la question religieuse de la violence non en terme d'opposition mais de contradiction : « Ce n'est pas l'opposition du bien et du mal, de la loi et du crime, du sacrilège et de la sainteté, mais une contradiction au sein même du bien, dans la loi elle-même, dans le sacré même. C'est peut-être l'antinomie, pas seulement humaine, mais divine, de l'Ancien et du Nouveau Testament, du Père et du Fils. » Merejkovski voit l'idée profonde du livre dans le face-à-face des deux terroristes, Vania et George, dans « le parallélisme du sexe et du social [...] aimer une femme sans jalousie, sans violence sur la personne, est un prodige de même nature qu'aimer sa patrie sans violence révolutionnaire ou étatique ». George au contraire érige son désir en loi : « L'un est tout amour, l'autre n'est que haine. L'un sait au nom de quoi il lutte, l'autre ne le sait pas. Pour l'un, "c'est interdit, mais il le faut", pour l'autre, "il ne faut pas, mais on peut [tuer][2] ". » De la pseudo-révolution à la vraie réaction, il n'y a qu'un pas, conclut Merejkovski.*

1. D. Merejkovski, *Bol'naja Rossija (La Russie malade)*, SPb., 1910 (réédition, Leningrad 1991, p. 124).

2. Dans une lettre à Savinkov de mai 1908, Merejkovski note cependant que celui qui croit au « miracle de la Résurrection » ne peut rester dans le terrorisme : « Il n'y a plus alors de raison de tuer : c'est interdit, et il ne le faut pas. » (*Russkaja Literatura*, 3, 2001, p. 145.)

L'influence du Cheval blême *et des* Souvenirs d'un terroriste *a été considérable. Ainsi, c'est chez Dostoïevski (en particulier dans le personnage d'Aliocha Karamazov et dans celui du Grand Inquisiteur) et chez Savinkov (dans le personnage de Kaliaev) que le jeune Lukács trouve la solution à l'antinomie du bien et du mal. C'est la lecture de Savinkov qui permet au futur philosophe marxiste de passer d'une vision tragique du monde (où le bien et le mal sont absolument opposés) à une vision dialectique, dans laquelle le mal peut être l'instrument du bien. Converti au bolchevisme après avoir rencontré Béla Kun, fin 1918, Lukács termine son premier article bolchevique, « Tactique et éthique » (1919), en s'appuyant sur* Le Cheval blême *pour résoudre le problème éthique du terrorisme : « Ropschin [...] voit non la justification de l'acte du terroriste – ceci est impossible – mais sa profonde racine morale dans le fait que celui-ci sacrifie pour ses frères non seulement sa vie, mais aussi sa pureté, sa morale, son âme. Pour exprimer cette pensée de la plus haute tragédie humaine avec les mots incomparablement beaux de la* Judith *de Hebbel [1839] : "Et si Dieu a mis un péché entre moi et l'action qui m'est imposée – qui suis-je pour m'en soustraire*[1]*?» C'est ainsi que Lukács, commissaire du peuple à la Culture dans l'éphémère république des Soviets de Hongrie de Béla Kun (1919), justifiera la violence révolu-*

---

1. Cité par Michaël Löwy, *Pour une sociologie des intellectuels révolutionnaires. L'évolution politique de Lukács 1909-1920*, PUF, 1976, p. 159-160. Judith séduit et tue Holopherne, général assyrien ennemi, pour sauver la ville de Béthulie et Jérusalem.

tionnaire puis se ralliera au stalinisme : « Parti de la liberté illimitée, j'arrive au despotisme illimité », prévenait le Chigaliov des Démons *de Dostoïevski.*

L'adéquation des moyens à la fin est précisément la problématique des Justes *d'Albert Camus (1949), qui met également en scène l'attentat contre le grand-duc Serge en reprenant l'argumentation de Kaliaev (orthographié Kaliayev dans la pièce, et joué lors de la première par Serge Reggiani, Annenkov étant Savinkov) : le meurtre est à la fois nécessaire et inexcusable, mais les « meurtriers délicats*[1] *» (allusion à Kaliaev, qui refusa de tuer des enfants) se donnent eux-mêmes en justification par le sacrifice de leur vie.*

Nombreuses seront les œuvres littéraires du début du XXe *siècle qui s'inspireront du terrorisme russe : en Russie, parmi les textes traduits en français, citons, outre les récits de L. Andreïev déjà mentionnés, le* Pétersbourg *(1914) d'Andreï Bielyi (avec le thème obsédant de la provocation, absent du* Cheval blême, *et la figure du terroriste mystique, Doudkine, nourri de l'*Apocalypse *comme* Vania); Lanceurs de bombes, Azef[2], *de l'écrivain russe émigré Roman Goul (1896-1986), qui est en fait une transposition romanesque des* Souvenirs d'un terroriste *de* Savinkov ; Témoin de l'histoire *(1932) de M. Ossorguine*[3], *ancien socialiste-révolutionnaire « maximaliste ».*

1. Titre d'un texte de Camus publié en janvier 1948 dans *La Table ronde*, qui sera repris dans *L'Homme révolté* (chap. III). Le commentateur des *Essais* de Camus dans la Bibliothèque de la Pléiade (1965), R. Quilliot, n'indique pas Savinkov parmi les lectures préparatoires de Camus pour *L'Homme révolté* (p. 1624 sq.).
2. Traduit de l'allemand par N. Guterman, Gallimard, 1930. Titre original : *General Bo*, Berlin, 1929.
3. Traduit du russe par Any Barda, L'Age d'Homme, 2001.

En Occident, le terrorisme russe avait déjà inspiré des écrivains aussi différents qu'Oscar Wilde (avec sa première pièce, Véra, *ou les nihilistes,* 1880) *et Alphonse Daudet* (Tartarin sur les Alpes, 1885). **Dans** Le Nimbe noir *(1907),* Joséphin Péladan *élève au rang de « mystique de la pitié et de la justice » une aristocrate qui sacrifie sa vertu à la cause révolutionnaire.* Sous les yeux de l'Occident *(1911) de* Joseph Conrad *s'inspire des attentats russes, tout comme* Moravagine *de* Cendrars, *commencé en 1912, publié en 1926, où Ropchine est mentionné.* Mais aucune *de ces œuvres n'a le laconisme à la fois poignant et cynique du* Cheval blême, *et aucune, sinon* Pétersbourg *de Bielyi, ne possède la dimension métaphysique du récit de Ropchine-Savinkov.*

Savinkov (ou Ropchine) semble cependant avoir perçu le leurre de la justification religieuse proposée par Hippius-Merejkovski et par le Vania du Cheval blême. *Tandis que Savinkov allait continuer à vouloir s'opposer par la violence à la violence de l'Histoire, Ropchine savait que son âme était morte et que le* Cheval blême *viendrait tôt ou tard le chercher :*

Et l'ange Abaddôn vint de nouveau me troubler.
Le destructeur se pencha à mon chevet
Et me murmura à l'oreille : le sang a tué ton âme[1].

MICHEL NIQUEUX

1. Poésie de 1911 (« N'est-ce pas le prince des ténèbres qui m'a troublé par son baiser... », *Livre de vers,* op. cit., p. 5). Abaddôn est l'« ange de l'Abîme » (Apocalypse, 9, 11).

… Et je vis venir un cheval blême. Son cavalier s'appelle « La Mort » et il était suivi du séjour des morts…

Apocalypse, 6, 8 [1]

Celui qui hait son frère est dans les ténèbres, il marche dans les ténèbres, et il ne sait où il va, parce que les ténèbres ont aveuglé ses yeux.

Épitre I, Jean, 2, 11 [2]

1. Traduction : Bible du Semeur.
2. Traduction : Bible Louis Segond, comme pour toutes les autres citations bibliques.

6 mars

Je suis arrivé hier soir à Moscou. Rien n'a changé. Les croix des églises étincellent, les traîneaux crissent sur la neige. Le matin, il gèle, le givre dessine des fleurs sur les vitres, et les cloches du monastère de la Passion appellent à l'office. J'aime Moscou. Elle est chère à mon cœur.

J'ai un passeport revêtu du sceau rouge du roi d'Angleterre et de la signature de lord Landsdowne[1]. Il y est indiqué que le dénommé George O'Brien[2], citoyen de Grande-Bretagne, se rend en voyage en Russie et en Turquie. Aux postes de police russe, j'ai droit au tampon « touriste ».

A l'hôtel, tout m'est familier jusqu'à l'écœurement : le portier en livrée bleu foncé, les miroirs dorés, les tapis. Dans ma chambre, un divan élimé, des rideaux poussiéreux. Sous la table, j'ai trois kilos de dynamite. Je les ai rapportés de

1. Ministre des Affaires étrangères de Grande-Bretagne entre 1900 et 1906.
2. Savinkov avait un passeport au nom de James Halley.

l'étranger avec moi. La dynamite dégage une forte odeur de pharmacie et me donne des maux de tête la nuit.

Je vais aller me promener dans Moscou. Le boulevard est sombre, il tombe une neige fine. Un carillon sonne au loin. Je suis seul, pas âme qui vive. Tout autour, la vie paisible de gens anonymes. Et dans mon cœur, les paroles saintes :

Je te donnerai l'étoile du matin [1].

8 mars

Erna a des yeux bleus et de lourdes nattes. Elle se blottit timidement contre moi et dit :

– Tu m'aimes un peu, n'est-ce pas ?

Jadis, elle s'est donnée à moi comme une reine : sans rien exiger et sans rien espérer. Et maintenant, comme une mendiante, elle implore mon amour. Je regarde par la fenêtre la place blanche.

Je dis :

– Regarde cette neige vierge.

Elle baisse la tête et se tait.

Je continue :

– Hier, je suis allé au parc de Sokolniki. La neige y est encore plus pure. Elle est rose. Avec les ombres bleues des bouleaux.

Je lis dans ses yeux : « Tu y étais sans moi. »

1. Apocalypse, 2, 28.

– Écoute, dis-je, connais-tu la campagne russe ?

Elle répond :

– Non.

– Eh bien, au début du printemps, quand l'herbe commence à verdir dans les prés et que les perce-neige fleurissent dans les forêts, il reste encore de la neige dans les combes. Des fleurs blanches et de la neige blanche : c'est étrange. Tu n'as pas vu ça ? Non ? Tu n'as pas compris ? Non ?

Et elle murmure :

– Non.

Moi, je pense à Elena.

9 mars

Le gouverneur général vit dans son palais. Il est entouré de mouchards et de sentinelles. Une double enceinte de baïonnettes et de regards indiscrets.

Nous ne sommes que cinq. Fiodor, Vania et Heinrich travaillent comme cochers. Ils le surveillent constamment et me communiquent leurs observations. Erna est chimiste. C'est elle qui préparera les bombes.

Dans mon hôtel, à ma table, je trace ses itinéraires sur le plan de la ville. Je tâche de ressusciter sa vie. Ensemble, nous accueillons les invités dans les salons du palais. Ensemble, nous nous promenons dans le parc, derrière la grille. Ensemble nous nous retirons pour la nuit. Et ensemble nous prions Dieu.

Aujourd'hui, je l'ai vu. Je l'attendais rue de Tver. J'ai

longtemps fait les cent pas sur le trottoir gelé. Le soir tombait, il gelait dur. J'avais déjà perdu espoir quand soudain, au coin de la rue, un commissaire de police agita son gant. Les sergents de ville se mirent au garde-à-vous, les limiers s'agitèrent. La rue se figea.

L'attelage fila. Des chevaux noirs. Un cocher à barbe rousse. Les poignées recourbées des portières, les rayons jaunes des roues. A sa suite, des traîneaux : la garde.

Il passa si vite que c'est à peine si je le distinguai. Il ne me vit pas : pour lui, je faisais partie de la rue.

Heureux, je revins lentement chez moi.

10 mars

Quand je pense à lui, je ne ressens ni haine ni courroux. Ni pitié non plus. Il m'est indifférent. Mais je veux sa mort. Je le sais : il est nécessaire de le tuer. Nécessaire pour la terreur et pour la révolution. Je sais que les gros poissons mangent les petits, je ne crois pas aux paroles. Si je le pouvais, je tuerais tous les chefs et tous les dirigeants. Je ne veux pas être esclave. Je ne veux pas qu'il y ait des esclaves.

On dit qu'il est interdit de tuer. On dit encore qu'on peut tuer un ministre, mais pas un révolutionnaire. On dit aussi le contraire.

Je ne sais pas pourquoi il est interdit de tuer. Et je ne comprendrai jamais pourquoi il est bien de tuer au nom de la liberté, et mal au nom de l'autocratie.

Je me souviens de ma première chasse. Les champs de

sarrasin rougeoyaient, des fils de la Vierge tombaient des
arbres, la forêt était silencieuse. Je me tenais sur une
lisière, près d'un chemin raviné par la pluie. Parfois, un
murmure de bouleaux, un vol de feuilles jaunes. J'attendais. Soudain l'herbe eut une ondulation inhabituelle.
Des buissons, telle une pelote grise, un lièvre déboula et
se dressa prudemment sur les pattes arrière, regardant
autour de lui. Tremblant, je levai mon fusil. Un écho
roula dans la forêt, une fumée bleue se dissipa entre les
bouleaux. Le lièvre blessé se tordait sur l'herbe brunie
par le sang. Il criait, de ces cris aigus mêlés de pleurs
qu'ont les enfants. J'eus pitié de lui. Je tirai encore un
coup. Il se tut.

De retour à la maison je l'oubliai tout de suite. Comme
s'il n'avait jamais existé, comme si je ne lui avais pas ôté
le plus précieux – la vie. Et je me demande : Pourquoi
ai-je éprouvé de la douleur quand il criait ? Et pourquoi
n'en ai-je pas éprouvé de l'avoir tué par amusement ?

11 mars

Fiodor est forgeron, ancien ouvrier du quartier de la
Presnia. Il porte la blouse bleue et la casquette des
cochers. Il verse son thé dans la soucoupe et l'aspire.
Je lui dis :
– Tu étais sur les barricades en décembre[1] ?
– Moi ? J'étais dans une maison.

1. Insurrection de décembre 1905, à Moscou.

– Quelle maison ?

– L'école, l'école municipale.

– Pourquoi ?

– J'étais dans la réserve. Je gardais deux bombes.

– Tu n'as donc pas participé au coup de feu ?

– Comment ça ? Si, j'ai tiré.

– Raconte donc.

Il agite un bras.

– A quoi bon... L'artillerie est arrivée. On s'est mis à nous tirer dessus à coups de canon.

– Et vous ?

– Nous aussi. A coups de canon qu'on tirait. Nous les avions fabriqués nous-mêmes à l'usine. Tout petits, de la hauteur de cette table, mais ils tiraient bien... Nous avons abattu une quinzaine d'hommes... Puis ça s'est mis à chauffer pour nous. Une bombe a percé le plafond, huit des nôtres y sont restés.

– Et toi ?

– Moi ? J'étais le chef de la réserve... Dans un coin avec mes bombes... quand l'ordre est venu.

– Quel ordre ?

– Celui du comité : partir. Nous le voyions bien : les choses n'étaient pas brillantes. On a attendu un peu et puis on est parti.

– Où ?

– Au rez-de-chaussée. C'était plus commode pour tirer.

Il parle à contrecœur. J'attends.

– Oui, poursuit-il après un silence, il y avait avec moi une sympathisante, comme qui dirait ma femme.

– Eh bien ?

– Rien… Les cosaques l'ont tuée.

Dehors, le jour s'éteint.

13 mars

Elena est mariée. Elle habite ici, à Moscou. C'est tout ce que je sais sur elle. Le matin, les jours où je suis libre, je flâne sur le boulevard, devant sa maison. Le givre est duveteux, la neige crisse sous les pieds. J'entends le lent carillon de la tour. Il est déjà dix heures. Je m'assieds sur un banc, comptant patiemment les heures. Je me dis : Hier, je ne l'ai pas rencontrée, je la rencontrerai aujourd'hui.

Je l'ai vue pour la première fois il y a un an. Au printemps, j'étais de passage à N…, et un matin, je suis allé me promener dans le parc vaste et ombragé. De vigoureux chênes, de fins peupliers s'élevaient au-dessus de la terre mouillée. Tout était silencieux comme dans une église. Même les oiseaux ne chantaient pas. Seul un ruisseau murmurait. Je regardais l'eau courir. Le soleil brillait dans les gouttelettes. J'écoutais la voix de l'eau. Je levai les yeux. Sur l'autre rive, derrière une résille de branches vertes, une femme. Elle ne m'avait pas remarqué. Mais je savais déjà qu'elle entendait ce que j'entendais.

C'était Elena.

14 mars

Je suis dans ma chambre d'hôtel. Au-dessus, on joue doucement du piano. Le bruit de mes pas se noie dans le tapis moelleux.

Je suis habitué à la clandestinité, à la solitude. Je ne veux pas connaître l'avenir. Je m'efforce d'oublier le passé. Je n'ai ni patrie, ni famille, ni nom. Je me dis :

> *Un grand sommeil noir*
> *Tombe sur ma vie :*
> *Dormez, tout espoir,*
> *Dormez, toute envie* [1] *!*

Mais l'espoir, cependant, ne meurt pas. L'espoir de quoi ? De « l'étoile du matin » ? Je le sais : si hier nous avons tué, nous tuerons aujourd'hui, et nous tuerons inéluctablement demain. « Le troisième ange versa sa coupe dans les fleuves et dans les sources d'eaux. Et ils devinrent du sang [2]. » Et ni l'eau ni le feu n'effacent le sang. On va avec lui dans la tombe.

> *Je ne vois plus rien,*
> *Je perds la mémoire*
> *Du mal et du bien...*
> *Ô la triste histoire !*

---

1. Verlaine, *Sagesse* III,V (en français dans le texte).
2. Apocalypse, 16, 4.

Heureux celui qui croit à la résurrection du Christ, à celle de Lazare. Heureux aussi celui qui croit au socialisme et au paradis terrestre à venir. Mais ces vieux contes me font sourire, et trente arpents de terre en partage ne me séduisent pas. J'ai dit que je ne voulais pas être esclave. Ma liberté consisterait-elle en cela?... Qu'en ai-je à faire? Au nom de quoi vais-je tuer? Au nom de la terreur, pour la révolution? Au nom du sang, pour le sang?...

Je suis un berceau,
Qu'une main balance
Au creux d'un caveau :
Silence, silence!

17 mars

Je ne sais pas pourquoi je m'engage dans le terrorisme, mais je sais pourquoi beaucoup y vont. Heinrich est persuadé que c'est nécessaire pour la victoire du socialisme. Fiodor a eu sa femme tuée. Erna dit qu'elle a honte de vivre. Vania... Mais laissons-le s'exprimer.

Hier, il m'a voituré toute la journée dans Moscou. Je lui avais donné rendez-vous dans une gargote, près de la tour Soukharev.

Il est arrivé en bottes montantes et sarrau plissé à la taille. Il porte à présent une barbe et a les cheveux coupés au bol.

Il dit :

– Écoute, as-tu jamais pensé au Christ ?

– A qui ? le fais-je répéter.

– Au Christ... au Dieu-homme... As-tu pensé à la manière de croire et de vivre ? Tu sais, dans mon relais, je lis souvent l'Évangile, et il me semble qu'il n'y a que deux voies, deux voies seulement. L'une, c'est le « tout est permis ». Tu comprends ? *tout.* Comme pour Smerdiakov[1]. Si l'on ose, bien sûr, si l'on est prêt à tout. Car si Dieu et le Christ-homme n'existent pas, il n'y a pas d'amour, et donc il n'y a rien... Et l'autre voie, c'est celle du Christ... Écoute : de fait, si tu aimes beaucoup – véritablement – il est alors possible de tuer. On le peut bien, n'est-ce pas ?

Je dis :

– On peut toujours tuer.

– Non, pas toujours. Tuer est un péché grave. Mais souviens-toi : il n'y a pas de plus grand amour que de donner son âme pour ses amis. Pas sa vie, son âme[2]. Comprends-le : il faut prendre sur soi le supplice de la croix, il faut être résolu à tout par amour, pour l'amour. Mais obligatoirement par amour et pour l'amour. Sinon, nous retrouvons Smerdiakov, le chemin vers Smerdiakov. Je vis. Pour quoi ? Peut-être pour l'heure de ma mort. Je prie : « Seigneur, donne-moi la mort au nom de l'amour. » On ne peut certes pas prier pour un assassinat. Et une fois

---

1. Personnage des *Frères Karamazov* de Dostoïevski pour lequel, comme pour Ivan Karamazov, « tout est permis » si Dieu n'existe pas.

2. Jean, 15, 13 (avec « âme » [*doucha, anima*] dans la Bible synodale russe et dans la Vulgate ; en grec : *psukhê*). Dans les *Souvenirs d'un terroriste* de Savinkov (Paris, 1982, p. 203), c'est la terroriste Maria Benevskaïa, « fervente chrétienne », qui fait cette réflexion.

que tu as tué, tu ne vas pas aller prier… Je le sais bien : il y a peu d'amour en moi, lourde est ma croix. Ne souris pas, reprend-il au bout d'un instant, pourquoi te moques-tu, et de quoi ? Je prononce des paroles divines, et tu vas prétendre que c'est du délire. Tu vas le dire, hein, tu vas le dire que c'est du délire ?

Je me tais.

– Souviens-toi, dans l'Apocalypse, Jean dit : « En ces jours-là, les hommes chercheront la mort, et ils ne la trouveront pas ; ils désireront mourir, et la mort fuira loin d'eux. » Qu'y a-t-il, dis-moi, de plus terrible que la mort qui fuit loin de toi, alors que tu l'appelles et la cherches ? Tu la chercheras, tous nous la chercherons. Comment verseras-tu le sang ? Comment violeras-tu la loi ? Nous le versons et nous la violons. Il n'y a pas de loi pour toi ; pour toi, le sang c'est de l'eau. Mais écoute-moi, écoute-moi donc : le jour viendra où tu te souviendras de ces paroles. Tu chercheras la fin et tu ne la trouveras pas : la mort te fuira. Je crois au Christ, j'y crois. Cependant je ne suis pas avec lui. J'en suis indigne, car je suis dans la boue et le sang. Mais dans sa miséricorde le Christ sera avec moi.

Je le regarde fixement et dis :

– Alors ne tue pas. Abandonne le terrorisme.

Il pâlit :

– Comment peux-tu me conseiller cela ? Comment l'oses-tu ? Vois-tu, je vais tuer et mon âme est mortellement affligée. Mais je ne peux pas ne pas tuer, car j'aime. Si la croix est lourde, prends-la. Si le péché est grand, prends-le. Le Seigneur aura pitié de toi et te pardonnera… Te pardonnera, répète-t-il tout bas.

– Vania, tout cela n'est que sornettes. N'y pense pas.

Il se tait.

Dehors, j'oublie ses paroles.

19 mars

Erna sanglote. Elle dit à travers ses larmes :

– Tu ne m'aimes plus du tout.

Elle est assise dans mon fauteuil, le visage caché dans ses mains. C'est étrange : je n'avais encore jamais remarqué qu'elle avait de si grandes mains.

Je les regarde attentivement et dis :

– Erna, ne pleure pas.

Elle lève ses yeux. Son nez a rougi et sa lèvre inférieure pend, repoussante. Je me détourne vers la fenêtre. Elle se dresse et me prend craintivement par la manche :

– Ne te fâche pas. Je ne pleurerai plus.

Elle pleure souvent. D'abord ses yeux rougissent, puis ses joues gonflent, enfin une larme roule imperceptiblement. Elle a les larmes silencieuses.

Je la prends sur mes genoux.

– Écoute, Erna, t'ai-je jamais déclaré que je t'aimais ?

– Non.

– T'ai-je trompée ? Ne t'ai-je pas confié que j'en aimais une autre ?

Elle tressaille et ne réplique rien.

– Réponds-moi.

– Oui, tu me l'as dit.

– Écoute encore. Quand il me sera pénible d'être avec

toi, je ne mentirai pas, je te le dirai. Tu me fais confiance, n'est-ce pas ?

– Oh, oui.

– Et maintenant, ne pleure plus. Je ne suis avec personne, je suis avec toi.

Je l'embrasse. Heureuse, elle dit :

– Mon chéri, comme je t'aime.

Mais je ne peux détourner mes yeux de ses grandes mains.

21 mars

Je ne connais pas un mot d'anglais. A l'hôtel, au restaurant, dans la rue, je parle le russe en l'écorchant. Cela donne lieu à des malentendus.

Hier, j'étais au théâtre. A côté de moi, un gros marchand, le visage rubicond, en sueur. Il somnole en ronflant, l'air morose. A l'entracte il se tourne vers moi :

– De quelle nation êtes-vous ?

Je garde le silence.

– Je vous demande de quelle nation vous êtes ?

Sans le regarder, je réponds :

– Sujet de Sa Majesté le roi d'Angleterre.

Il reprend :

– De qui ?

Je lève la tête et dis :

– Je suis anglais.

– Anglais ? Oui, oui, oui… La nation la plus exécrable. Oui. C'est eux qui étaient sur les cuirassés japonais, c'est eux qui à Tsushima ont noyé le pavillon de Saint-André[1], qui ont pris Port-Arthur... Et maintenant, vous trouvez bon de venir chez nous, en Russie. Non, je ne souffrirai pas cela.

Des curieux s'approchent. Je dis :

– Je vous prie de vous taire.

Il continue :

– Qu'on le mène au poste de police. Peut-être que c'est encore un espion japonais, ou bien un filou quelconque... Nous les connaissons, ces Anglais... Où la police a-t-elle donc les yeux ?

Je tâte mon pistolet dans ma poche. Je dis :

– Pour la deuxième fois, je vous prie de vous taire.

– Me taire ? Non, mon vieux, allons au poste. Là-bas, ils tireront l'affaire au clair. C'est pas permis qu'il y ait des espions. Non. Vive le tsar ! Dieu est avec nous !

Je me lève. Je plante mon regard dans ses yeux ronds, injectés de sang, et je grommelle :

– Pour la dernière fois, taisez-vous !

Il hausse les épaules et s'assied en silence.

Je sors du théâtre.

1. Drapeau de la flotte russe, anéantie à Tsushima (détroit de Corée) en mai 1905.

24 mars

Heinrich a vingt-deux ans. Il a été étudiant. Naguère encore il tenait des discours dans les meetings, portait pince-nez et cheveux longs. Maintenant, comme Vania, il a l'air rustre, amaigri, le visage envahi par une barbe sauvage. Son cheval est décharné, le harnais usé, le traîneau d'occasion. Un vrai pauvre cocher moscovite.

Il nous promène, Erna et moi. La barrière de la ville passée, il se retourne et dit :

– L'autre jour, j'ai pris un pope. Il voulait aller place aux Chiens[1]. Il proposait quinze kopecks. Mais où est-elle, cette place aux Chiens ? Je pars. Je tourne en rond. A la fin, le pope se met à m'injurier : « Où me mènes-tu, fils de chienne ? Je vais te livrer à la police, qu'il dit. Un cocher doit connaître Moscou comme sa poche, mais toi, tu as dû passer l'examen avec un pot-de-vin. » J'ai eu du mal à le calmer : « Excusez-moi, mon Père, pour l'amour de Dieu… » L'examen, c'est vrai que je ne l'ai pas passé. C'est un vagabond qui s'est présenté à ma place pour cinquante kopecks.

Erna écoute distraitement. Heinrich poursuit avec animation :

– Il y a quelques jours, aussi, un monsieur et une dame m'ont hélé. Des vieux. De la noblesse, apparemment. J'arrive rue Dolgorouki, et là, un tramway électrique est arrêté à la station. Sans regarder, à la grâce de Dieu, je traverse les rails. Voilà-t-il pas le monsieur qui bondit et me

---

1. Au centre de Moscou (quartier de l'Arbat).

bourre la nuque de coups : « Vaurien, qu'il dit, tu veux nous faire écraser ? Où te fourres-tu... fils de chienne ? » Moi, je lui dis : « Veuillez ne pas vous inquiéter, Votre Excellence, le tramway est à l'arrêt, nous avons le temps de passer. » Alors, la dame se met à parler en français : « *Jean,* qu'elle dit, *ne t'émeus pas, d'abord c'est mauvais pour toi, et ensuite, le cocher est un être humain.* » Vrai Dieu, c'est comme ça qu'elle a dit : *Le cocher est un être humain.* Et lui de répondre en russe : « Je sais bien que c'est un être humain, mais c'est aussi un fameux animal... » Et elle : « Fi, que dis-tu ? Tu n'as pas honte, vraiment... » Alors, il me touche l'épaule et me dit : « Excuse-moi, mon cher », et il me donne vingt kopecks de pourboire... Des cadets[1], pour sûr... Hue, ma chère, vas-y !...

Heinrich fouette sa rosse. Erna se serre insensiblement contre moi.

– Et vous, Erna Yakovlevna, vous vous habituez ?

Heinrich parle timidement. Erna répond à contrecœur :

– Ça va. Bien sûr, je m'y fais.

A droite, le parc Petrovski, l'entrelacs noir des branches dénudées. A gauche, le tapis blanc des champs. Derrière nous, Moscou. Les églises étincellent au soleil.

Heinrich s'est tu. Silence. Seul le traîneau crisse.

Rue de Tver, je lui donne cinquante kopecks. Il ôte sa casquette givrée et nous suit longtemps du regard.

Erna murmure à mon oreille :

– Puis-je venir chez toi ce soir, mon chéri ?

---

1. Constitutionnels-démocrates (K.- D.), parti centriste.

28 mars

Le gouverneur général s'attend à un attentat. Hier soir, il a subitement déménagé à Neskoutchnoe [1]. Nous l'y avons suivi. Vania, Fiodor et Heinrich l'épient maintenant dans le quartier d'Outre-Moskova : à la porte de Kalouga, Grande rue Polianka. J'erre dans les rues Piatnitskaïa et Ordynka. Nous avons déjà beaucoup de renseignements sur lui. Il est de grande taille, pâle de visage, la moustache en brosse. Il se rend au Kremlin deux fois par semaine, de trois à cinq heures. Le reste du temps, il est chez lui. Parfois, il va au théâtre. Il a trois équipages. Une paire de chevaux gris et deux paires de moreaux. Son cocher n'est pas vieux, la quarantaine, avec une barbe rousse en éventail. Sa voiture est neuve, avec des lanternes blanches. Parfois, sa famille l'utilise : sa femme et ses enfants. Mais c'est alors un autre cocher. Un vieux avec des médailles sur la poitrine. Nous connaissons aussi sa garde : deux limiers, tous deux juifs. Ils vont toujours dans un traîneau découvert, attelé à un trotteur bai. Impossible de se tromper, et je pense que nous fixerons bientôt le jour. C'est Vania qui lancera la première bombe.

---

1. Beau parc au sud de Moscou, sur la rive droite de la Moskova, qui abritait le palais du grand-duc Serge Alexandrovitch.

29 mars

De Pétersbourg est arrivé Andreï Petrovitch. C'est un membre du Comité[1]. Il a derrière lui de nombreuses années de bagne et de Sibérie – pénible vie d'un révolutionnaire traqué. Il a des yeux tristes et un bouc grisonnant.

Nous dînons à l'Ermitage[2]. Il dit timidement :

– Vous savez, George, le Comité a soulevé la question d'une suspension du terrorisme. Qu'en pensez-vous ?

J'appelle le garçon :

– Garçon, mettez-nous un air des *Cloches de Corneville* à l'orgue mécanique.

Andreï Petrovitch baisse les yeux.

– Vous ne m'écoutez pas, et pourtant la question est très importante. Comment concilier le terrorisme et l'activité parlementaire ? Ou bien nous la reconnaissons et participons aux élections à la Douma, ou bien nous disons non à la constitution et alors, bien sûr, c'est le terrorisme[3]. Qu'en pensez-vous ?

– Qu'est-ce que j'en pense ? Rien.

– Réfléchissez. Peut-être va-t-il falloir vous dissoudre, c'est-à-dire dissoudre l'Organisation de combat.

---

1. Comité exécutif central du parti socialiste-révolutionnaire, par rapport auquel l'Organisation de combat revendiquait son autonomie.

2. Restaurant réputé de Moscou (passage Neglinny).

3. Le parti socialiste-révolutionnaire avait décidé de dissoudre l'Organisation de combat après le « Manifeste du 17 octobre » (1905), qui fit entrer la Russie dans l'« âge constitutionnel » (libertés individuelles et publiques et instauration d'un parlement [Douma]), puis il la rétablit en janvier 1905 après le « Dimanche rouge » (répression d'une manifestation pacifique, à Saint-Pétersbourg), et suspendit de nouveau l'Organisation durant les travaux de la première Douma, d'avril à juillet 1906.

– Quoi ?

– Non pas dissoudre, mais comment dire ? Vous savez, George, nous vous comprenons. Nous savons combien c'est difficile pour les camarades. Nous apprécions... Et puis, ce n'est qu'une supposition.

Son visage est couleur citron, il a des rides sous les yeux. Il habite sans doute un galetas, quelque part dans le quartier de Vyborg, prépare son thé sur un réchaud à alcool, sort en hiver avec un manteau d'automne et est submergé de travail et de plans. Il fait la révolution.

Je dis :

– Voilà, Andreï Petrovitch. Décidez là-bas comme bon vous semble. C'est votre droit. Mais quoi que vous décidiez, le gouverneur général sera tué.

– Comment ? Vous ne vous soumettrez pas au Comité ?

– Non.

– Écoutez, George...

– C'est dit, Andreï Petrovitch.

– Et le parti ? rappelle-t-il.

– Et le terrorisme ?

Il soupire. Puis il me tend la main.

– Je ne dirai rien à Pétersbourg. Espérons que ça s'arrangera. Ne m'en veuillez pas.

– Je ne vous en veux point. Adieu, Andreï Petrovitch.

Le ciel est étoilé. Signe de gel. Les ruelles désertes sont sinistres... Andreï Petrovitch se hâte vers la gare. Pauvre vieux. Pauvre grand enfant. C'est précisément à ceux-là qu'appartient le Royaume des cieux.

30 mars

J'erre de nouveau près de la maison d'Elena. C'est l'immeuble gris, massif, du marchand Kouporossov. Comment des gens peuvent-ils vivre dans cette boîte ? Comment Elena peut-elle y vivre ?

Je sais qu'il est bête de se geler dans la rue, de tourner autour de portes fermées, d'attendre ce qui jamais ne sera. Et même si je la voyais ? Qu'est-ce qui changerait ? Rien.

En revanche, hier, sur le Pont des Maréchaux, devant le magasin Daziaro[1], j'ai rencontré le mari d'Elena. Je l'avais remarqué de loin. Il regardait des photographies dans la vitrine et me tournait le dos. Je m'approchai et me plantai près de lui. Il est grand de taille, blond et svelte. Il a dans les vingt-cinq ans. C'est un officier.

Il se retourna et me reconnut tout de suite. Ses yeux s'assombrirent et j'y lus de l'animosité et de la jalousie. Je ne sais ce qu'il lut dans les miens.

Je ne suis pas jaloux de lui. Je n'ai rien contre lui. Mais il me gêne. Il se tient sur mon chemin. Et puis, quand je pense à lui, je me rappelle ces paroles :

> *Si un pou dans ta chemise*
> *Crie que tu es une puce,*
> *Sors dans la rue*
> *Et tue-le[2] !*

---

1. Pont des Maréchaux : rue élégante du centre de Moscou *(Kouznetski most)*. Daziaro : magasin de photographies.
2. Nous n'avons pu déterminer l'auteur de ces vers (Savinkov ?). Ils rappellent *Crime et châtiment* de Dostoïevski, où le mot *pou* (*vosh'*) est employé dix-sept fois par Raskolnikov (qui désigne ainsi l'usurière et lui-même).

2 avril

Aujourd'hui, il dégèle. Des ruisseaux courent, les flaques brillent au soleil. La neige est molle, et à Sokolniki ça sent le printemps, une forte odeur de forêt humide. Le soir, il gèle encore, mais dans la journée c'est glissant et les toits dégouttent.

Le printemps dernier, j'étais dans le Midi. La nuit, on n'y voyait rien. Seule la constellation d'Orion brillait. Le matin, j'allais à la mer en descendant par la falaise. Dans les bois, bruyère en fleur et lis blancs. Je grimpe sur la falaise. Au-dessus de moi, le soleil incandescent au-dessous, le vert transparent de la mer. Les lézards glissent, les cigales stridulent. Allongé sur les rochers brûlants, j'écoute le ressac. Et soudain, plus rien : ni moi, ni mer, ni soleil, ni forêt, ni fleurs. Il n'y a qu'un corps immense, une vie infinie et bénie.

Et maintenant ?

Un de mes amis, un officier belge, me racontait sa vie au Congo. Il avait sous ses ordres cinquante soldats noirs. Son cordon s'étendait sur la rive d'un fleuve, dans une forêt vierge, à l'abri du soleil brûlant mais non de la fièvre jaune. De l'autre côté, il y avait une tribu de Nègres indépendants, avec leur roitelet et leurs coutumes. Le jour cédait la place à la nuit puis revenait. Le matin, à midi, le soir, c'était toujours la même rivière boueuse aux rives sablonneuses, les mêmes lianes vert clair, les mêmes hommes au corps noir et au langage incompréhensible. Parfois, par ennui, il prenait son fusil et tâchait de toucher une tête frisée à travers les branches. Et quand les

Noirs de cette rive arrivaient à capturer l'un de ceux qui étaient sur l'autre rive, on attachait le prisonnier à un poteau. Par désœuvrement on le fusillait, en s'en servant de cible. Et inversement : quand l'un de ses hommes était pris sur l'autre rive, on lui coupait les bras et les jambes. Puis on le mettait pour la nuit dans la rivière de façon à ce que seule la tête émergeât. Le matin, on le décapitait.

Je me demande : en quoi le Blanc se distingue-t-il du Noir ? En quoi sommes-nous différents ? De deux choses l'une : ou bien « Tu ne tueras pas », et alors nous sommes des brigands au même titre que Pobédonostsev et Trépov[1]; ou bien «Œil pour œil, dent pour dent ». Mais alors, à quoi bon chercher des justifications ? Je fais ce que je veux. Ou alors y aurait-il une couardise secrète, la crainte de l'opinion d'autrui ? La crainte que l'on dise : c'est un meurtrier, alors que l'on dit maintenant : c'est un héros. Mais que me chaut l'opinion d'autrui ?

Raskolnikov a tué la petite vieille et s'est étouffé lui-même dans le sang versé. Vania, lui, va tuer et après avoir tué, il sera heureux et saint. Il dit : « Au nom de l'amour. » Mais l'amour existe-t-il dans ce monde ? Le Christ est-il en vérité ressuscité le troisième jour ? Tout cela n'est que des mots... Non :

---

1. Pobédonostsev K. P. (1827-1907) : procureur du Saint-Synode (administration d'État de l'Église), adversaire des réformes libérales.
Trépov Dm. F. (1855-1906) : grand-maître de police de Moscou (1896-1905) puis gouverneur général de Saint-Pétersbourg.
Le premier fut la cible d'un attentat manqué en 1901, le second le fut en 1905 et 1906.

Si un pou dans ta chemise
Crie que tu es une puce,
Sors dans la rue
Et tue-le!

4 avril

Fiodor raconte :

– C'était dans le Midi, à N. Tu vois la rue, qui descend de la gare ? Et la sentinelle, sur la colline ?… J'ai pris la bombe (je l'avais préparée moi-même), je l'ai enveloppée dans un fichu, et j'ai grimpé là-haut. Je me tiens un peu à distance de la sentinelle, vingt-cinq pas environ. J'attends. Voici un nuage de poussière : c'est la garde cosaque. Derrière elle, le voilà en personne, dans sa voiture, accompagné d'un officier. Je lève le bras bien haut, avec la bombe. Soudain, il me voit et devient blanc comme un linge. Je le regarde, il me regarde. Alors : « A la grâce de Dieu ! » je dis, et je lance à toute volée ma bombe en bas. J'entends une explosion. Je m'enfuis. J'avais un bon browning, un cadeau de Vania. Je me retourne : la sentinelle me vise au bout de son fusil. Je me mets à courir en zigzag, par précaution. En même temps, je tire avec mon pistolet. Pour lui faire peur. Je tire toutes mes cartouches, je change de chargeur, et je continue à courir. Que vois-je : Des soldats sortent en courant d'une caserne, des fantassins. Ils tirent sur moi au fusil en courant. S'ils s'étaient arrêtés pour me viser, ils m'auraient tué du premier coup. Ce champ traversé, j'arrive à des maisons. Qu'est-ce qu'il y a ? Des matelots qui déboulent d'une ruelle. Pan-pan ! pan-pan ! je vide encore tout un chargeur. Je ne sais si j'ai tué quelqu'un. Je cours. Je tourne dans une rue : des ouvriers sortent d'une usine. Je vais vers eux. Je les entends dire : « Laissez-le s'enfuir, les gars. » Je me mêle à la foule, le pistolet dans la poche, une casquette à la place de mon chapeau, je tombe ma veste et reste en chemise... j'allume une cigarette, je me fonds avec les autres. Je marche comme si je sortais moi aussi de l'usine, à la rencontre des soldats, donc.

– Et alors ?

– Alors, rien. Je suis rentré chez moi. A la maison, j'apprends qu'une bombe a détruit sa voiture, il est éventré, et deux cosaques ont été tués.

– Dis-moi, lui demandai-je, si nous tuons le gouverneur général, tu seras content ?

– Si nous tuons le patron ?

– Oui.

Il sourit. Ses dents robustes, blanches comme du lait, luisent.

– Tu es drôle... Bien sûr que je serai content.

– Mais tu sais qu'on te pendra, Fiodor.

Il dit :

– Et alors ? Deux minutes, et c'en est fait. Nous y serons tous.

– Où ?

Il éclate de rire :

– Au fumier.

6 avril

La semaine sainte est passée. Aujourd'hui, les cloches sonnent gaiement : c'est Pâques. La nuit, il y a eu une joyeuse procession, Dieu soit loué. Et dès le matin, tout Moscou est sur le Pré des Vierges[1], serré comme des harengs en caque. Des paysannes en fichu blanc, des soldats, des loqueteux, des lycéens. On s'embrasse, on croque des graines de pastèques, on gouaille. Sur les étals, des œufs coloriés, des pains d'épice, des diables américains, des boules bariolées attachées à des rubans. On se croirait dans une ruche : un brouhaha incessant.

Enfant, on commence à faire ses dévotions la sixième semaine : toute une semaine de jeûne, rien avant la communion. Pendant la semaine sainte, on fait force prosternations, on se presse contre le saint suaire : « Seigneur, pardonne-moi mes péchés. » Aux matines, on se croirait au paradis : les cierges ont une flamme claire, ça sent la cire, les chasubles sont blanches, les icônes dorées. On se tient debout sans oser bouger : le Christ va-t-il bientôt ressusciter, va-t-on bientôt rentrer à la maison avec les brioches bénites ? A la maison, c'est fête, grande solennité. C'est fête toute la semaine de Pâques.

Mais aujourd'hui, tout cela m'est étranger. Le carillon m'accable, les rires m'ennuient. Si je pouvais partir, droit devant moi, et ne pas revenir.

– Monsieur, achetez votre bonheur…

---

1. *Devich'e pole*, près du monastère du même nom, où était organisé un marché de Pâques.

Une petite me fourre une enveloppe dans la main. La fillette est nu-pieds, déguenillée ; elle n'a pas un air de fête. Sur un bout de papier gris, une prédiction imprimée :

« Si les échecs te poursuivent, ne perds pas espoir et ne te livre pas au désespoir. Tu vaincras les plus grandes difficultés et tourneras enfin vers toi la roue de la fortune. Ton entreprise connaîtra un succès complet, au-delà de toute espérance. »

Voilà mon œuf de Pâques.

7 avril

Vania habite le quartier de Mioussy, dans une auberge, avec une compagnie de cochers. Ils dorment tous ensemble, sur des planches. Il mange à la marmite commune. Il panse lui-même son cheval, lave son cabriolet. Le jour, il est dans la rue, à l'ouvrage. Il ne se plaint pas, il est content.

Aujourd'hui, il a mis un sarrau neuf, des bottes qui craquent, et il a huilé ses cheveux. Il dit :

– Voilà Pâques d'arrivé. C'est bien… George, le Christ est en vérité ressuscité.

– Et alors, qu'est-ce que ça fait, qu'il soit ressuscité ?

– Pauvre de toi… Il n'y a pas de joie en toi. Tu n'aimes pas le monde.

– Et toi, tu l'aimes ?

– Moi ? C'est autre chose. Je te plains, Georget.

– Tu me plains ?

– Oui. Tu n'aimes personne. Même pas toi. Tu sais, il y a dans notre auberge un cocher du nom de Tikhon. Un paysan noiraud, frisé. Mauvais comme un diable. Il a été riche, puis ruiné : on lui a incendié sa maison. Jusqu'à présent, il ne peut l'oublier. Il maudit tout le monde : Dieu, le tsar, les étudiants, les marchands, même les enfants. Il les hait. Tous fils de chienne, qu'il dit, et tous des gredins. On boit le sang des chrétiens, et Dieu se réjouit du haut des cieux... Tantôt, je sors de l'auberge dans la cour, et je vois Tikhon debout au milieu. Les jambes écartées, les manches retroussées, des poings énormes, cinglant son cheval sur les yeux avec une rêne. La bête est chétive, elle respire à peine, elle lève le museau par à-coups. Et lui de continuer à la frapper sur les yeux, encore sur les yeux. « Charogne, dit-il tout enroué, maudite vermine, je vais te montrer, je t'apprendrai... – Pourquoi, je lui demande, tu frappes cet animal ? – Ferme-la, qu'il crie, sale teigneux ! » Et d'y aller de plus belle[1]. La cour est pleine de boue, de fumier, ça pue. Les nôtres sont sortis et rigolent : Tikhon s'amuse... Toi aussi, George, tu cinglerais bien tout le monde sur les yeux... Eh oui, mon pauvre.

Il grignote le bout d'un morceau de sucre, boit son thé à longues gorgées, puis ajoute :

– Ne m'en veux pas. Et ne te moque pas. Voici ce que je pense. Tu sais de quoi je parle. De fait, nous sommes des pauvres en esprit. Qu'est-ce qui nous fait vivre, mon cher ? La haine pure. Nous ne savons pas aimer. Nous

---

1. La scène rappelle le rêve de Raskolnikov, dans *Crime et châtiment* (I, 5), qui pose le problème du mal et de l'innocence. Cf. aussi *Les Frères Karamazov* (II, V, 4) pour le motif des yeux.

étranglons, tuons, brûlons. Et on nous étrangle, on nous pend, on nous brûle. Au nom de quoi ? Dis-le. Si, dis-le. Je hausse les épaules.

– Demande à Heinrich, Vania.

– A Heinrich ? Heinrich croit au socialisme, il sait que les gens seront libres et rassasiés. C'est bon pour Marthe, mais pour Marie [1] ? Pour la liberté, certes, on peut donner sa vie. Que dis-je ? Pour une seule larme, on le peut [2]. Dans mes prières, je demande qu'il n'y ait plus d'esclaves, qu'il n'y ait plus d'affamés. Mais ce n'est pas suffisant, Georget. Nous le savons, le monde vit dans l'iniquité. Où est la vérité, dis ?

– Qu'est-ce que la vérité ? C'est ça [3] ?

– Oui, qu'est-ce que la vérité. Tu te souviens : « Je suis né et je suis venu dans le monde pour rendre témoignage à la vérité. Quiconque est de la vérité écoute ma voix [4]. »

– Vania, le Christ a dit : « Ne tue pas. »

– Je sais. Pour l'instant, laisse le sang. Dis-moi plutôt ceci : L'Europe a révélé au monde deux grands mots, elle a gravé deux grands mots par ses souffrances. Le premier est la liberté, le second, le socialisme. Et nous, qu'avons-nous dit au monde ? Le sang a coulé pour la liberté. Qui y croit, à présent ? Le sang a coulé pour le socialisme. Tu crois que le socialisme, c'est le paradis sur terre ? Mais pour l'amour, au nom de l'amour, quelqu'un est-il monté sur le bûcher ? Qui de nous a osé dire : C'est peu que les hommes soient

---

1. Allusion à Luc, 10, 38-41.
2. Allusion à Ivan Karamazov (II, V, 4).
3. Allusion à la question de Pilate à Jésus (Jean, 18, 38).
4. Jean, 18, 37.

libres, peu que les enfants ne meurent pas de faim, que les mères ne pleurent plus. Il faut encore que les hommes s'aiment les uns les autres, que Dieu soit avec eux et en eux. Nous avons oublié Dieu, nous avons oublié l'amour. Marthe n'est qu'une moitié de la vérité, l'autre est en Marie. Où est notre Marie ? Écoute, j'y crois : la révolution paysanne, chrétienne [1], christique est en marche. La révolution au nom de Dieu, au nom de l'amour est en marche. Et les hommes seront libres et rassasiés, et ils vivront dans l'amour. Je le crois : notre peuple est peuple de Dieu, l'amour est en lui, le Christ est avec lui. Notre parole est le Verbe ressuscité. Oui, Seigneur, viens !… Nous sommes de peu de foi et faibles comme des enfants, c'est pourquoi nous levons le glaive. Ce n'est pas notre force qui nous le fait lever, mais notre faiblesse et notre peur. Attends, demain d'autres viendront, purs. Point ne leur sera besoin de glaive, car ils seront forts. Mais avant qu'ils ne viennent, nous périrons. Mais les petits-fils des enfants que nous sommes aimeront le Christ, vivront en Dieu, se réjouiront dans le Christ. Le monde s'ouvrira de nouveau à eux, et ils y verront ce que nous ne voyons pas. Mais aujourd'hui, Georget, le Christ est ressuscité, sainte Pâque. En ce jour, oublions les offenses, cessons de frapper sur les yeux…

Il se tait, pensif.

– Qu'as-tu, Vania, à quoi penses-tu ?

– Écoute : la chaîne est inséparable. Il n'y a pas d'issue, pas de sortie pour moi. Je vais tuer, et en même temps je crois au Verbe, je vénère le Christ. Je souffre, je souffre…

---

1. Les mots *paysan* et *chrétien* sont presque homonymes en russe.

Vacarme d'ivrognes dans le cabaret. Les hommes fêtent Pâques. Vania s'est penché sur la table et attend. Que puis-je lui donner ? Quand même pas des coups sur les yeux ?...

8 avril

Je suis de nouveau avec Vania. Il dit :
– Sais-tu quand j'ai connu le Christ ? Quand j'ai vu Dieu la première fois ? C'était en Sibérie, en déportation. Un jour, je vais à la chasse. Dans le golfe de l'Obi, c'était. A son embouchure dans l'océan, l'Obi est une mer. Le ciel est bas, gris, le fleuve est gris aussi, la crête des vagues est grise, les rives sont invisibles, comme s'il n'y en avait pas. Une barque me dépose sur un îlot. En me promettant de venir me reprendre le soir. Je me promène, je tire quelques canards. Le terrain est marécageux, avec des bouleaux rabougris, des mottes vertes de mousse. Je marche, je marche, je suis déjà loin de la rive. Je cherche en vain un canard que j'ai touché et qui est tombé entre les mottes. Et voici que le soir tombe, le brouillard monte de la rivière, il fait sombre. Je décide de rejoindre la rive. Je m'oriente tant bien que mal d'après le vent. Je fais un pas, et je sens que mes pieds s'enfoncent. Je veux monter sur une motte, mais je m'enfonce dans le marécage. Tu sais, lentement, lentement, deux centimètres à la minute. La bise se lève, il se met à pleuvoir. J'essaie de retirer ma jambe : c'est pire, je m'enfonce encore de quelques centimètres. Je prends mon fusil, et de désespoir je me mets à

tirer en l'air. Peut-être qu'on m'entendra, qu'on viendra à mon aide. Non, c'est le silence, je n'entends que le vent qui siffle. Je me tiens ainsi, dans la vase presque jusqu'aux genoux. Je me dis : je vais disparaître dans le marais, il y aura quelques bulles au-dessus de moi, et rien que des mottes vertes, comme auparavant. Ça m'a dégoûté. J'ai essayé de tirer encore une fois ma jambe, ça a été pire. J'étais glacé, je tremblais comme une feuille. Voilà quelle est ma fin, au bout du monde, comme une mouche... Et tu sais, ça a été comme le vide dans mon cœur. Tout m'était égal, de périr aussi. Je mords ma lèvre jusqu'au sang, de toutes mes dernières forces je tire une troisième fois sur ma jambe. Je sens qu'elle vient. Je suis soudain envahi de joie. Mon brodequin est resté dans la vase, ma jambe est ensanglantée. Tant bien que mal je mets un pied sur une motte, je m'appuie sur mon fusil, et je tire l'autre jambe. Une fois les deux pieds sur la motte je crains de bouger. Je me dis que si je fais un pas je retombe dans le marais. Je reste ainsi debout au même endroit toute la nuit, jusqu'à l'aube. C'est au cours de cette fameuse nuit, alors que j'étais debout au milieu du marais, sous la pluie, avec le ciel noir, le vent qui sifflait, c'est au cours de cette longue nuit que j'ai compris de tout mon cœur, tu sais, définitivement : Dieu est au-dessus de nous et avec nous. Et je n'avais pas peur, j'étais heureux : un poids m'avait été ôté du cœur. Et au matin, mes camarades sont arrivés et m'ont recueilli.

— Avant de mourir, beaucoup de gens voient Dieu. C'est l'effet de la peur, Vania.

— De la peur ? Et alors... peut-être ! Mais qu'est-ce que

tu crois ? Dieu peut-il t'apparaître ici, dans ce cabaret
sale ? Avant la mort, l'âme se tend, on voit jusqu'aux
confins. C'est pourquoi les gens voient Dieu le plus souvent avant de mourir. Comme moi. Écoute encore, poursuit-il après un silence. C'est un grand bonheur d'avoir
vu Dieu. Tant que tu ne le connais pas, tu n'y penses pas
du tout. Certains l'imaginent comme un surhomme.
Penses donc, un surhomme ! Et pourtant ils y croient : la
pierre philosophale est trouvée, l'énigme de la vie est
résolue. Selon moi c'est l'esprit de Smerdiakov, tout ça.
« Moi, qu'ils disent, je ne peux pas aimer mon prochain,
en revanche, j'aime ceux qui sont loin [1]. » Comment peux-
tu aimer ceux qui sont loin, si tu n'as pas en toi d'amour
pour ceux qui t'entourent ? Si tu n'as pas d'amour pour
ceux qui vivent dans la boue, dans le sang, dans la
détresse ? Tu sais, il est facile de mourir pour les autres,
de donner sa mort aux hommes. Mais sa vie, il est plus
difficile de la donner. Chaque jour, chaque minute, vivre
avec amour, l'amour de Dieu pour les hommes, pour tout
ce qui vit. S'oublier, ne pas construire la vie pour soi-
même ou pour des inconnus au loin. Nous nous sommes
endurcis, nous sommes devenus féroces. Eh mon cher !
c'est triste à voir : les hommes s'agitent, cherchent, se
mettent à croire aux divinités chinoises, à des bûches de
bois, et ils ne peuvent pas croire en Dieu, ne veulent pas
aimer le Christ. Un poison nous brûle depuis notre
enfance. Tiens, Heinrich par exemple ne dira pas : « C'est

1. Cf. Nietzsche, *Ainsi parlait Zarathoustra* (« De l'amour du prochain ») : « Plus haut que l'amour du prochain est l'amour du lointain et
de ce qui est à venir. » ; traduit par Marthe Robert.

une fleur », il te donnera la famille, l'espèce, la forme des pétales, de la corolle. Derrière ce fatras il ne voit pas la fleur. C'est ainsi que nous ne voyons pas Dieu à travers tout notre fatras. Tout doit être mathématique, rationnel. Alors que là-bas, quand j'étais sous la pluie sur ma motte au milieu du marais à attendre la mort, là-bas j'ai compris : en dehors de la raison, il y a encore quelque chose, mais nous avons des œillères, et nous ne voyons ni ne savons rien. Qu'as-tu à rire, George ?

– Tu ressembles à un curé qui prêche pour sa paroisse.

– Va pour le curé, ça m'est égal. Dis-moi plutôt : Peut-on vivre sans amour ?

– Bien sûr.

– Comment ça ? Comment ?

– En se fichant du monde entier.

– Tu plaisantes, George.

– Non, je ne plaisante pas.

– Pauvre de toi, George, pauvret…

Je lui dis adieu. J'oublie derechef ses paroles.

10 avril

J'ai vu le gouverneur général. C'est un vieil homme de grande taille, d'une belle figure. Il porte des lunettes et une moustache taillée court. A voir son visage calme, personne ne dirait qu'il a des milliers de victimes sur sa conscience.

Je traversais le Kremlin. Sur la place encore blanche hier, aujourd'hui transparaît le pavé mouillé. La glace a fondu et la Moskova brille au soleil. Le quartier d'Outre-Moskova est enfumé par les cheminées des usines. Les moineaux gazouillent.

Une voiture est arrêtée devant le perron du palais. Je l'ai tout de suite reconnue : les chevaux noirs, les rayons jaunes des roues. J'ai traversé la place pour m'approcher du palais. A ce moment la porte s'ouvre, la sentinelle présente les armes, le sergent de police se met au garde-à-vous. Le gouverneur général descend lentement l'escalier de marbre blanc. Je suis cloué sur place. Mes yeux sont rivés à lui. Il lève la tête et me considère. J'ôte mon chapeau et le salue bien bas. Il sourit et porte ses doigts à son képi. Il me salue à son tour.

A cet instant, je le haïssais.

Je me dirigeai lentement vers le jardin Alexandre. Mes pieds s'enfonçaient dans l'argile détrempée des sentiers. Dans les bouleaux, des vols bruyants de corneilles. C'est tout juste si je ne pleurai pas : je regrettais qu'il fût encore en vie.

12 avril

Toutes mes heures libres, je les passe à la bibliothèque Roumiantsev[1]. La salle est calme, avec des étudiantes aux cheveux courts et des étudiants barbus. Mon visage rasé et mon col droit me distinguent nettement d'eux.

Je suis plongé dans les Anciens. Ils n'avaient pas de pro-

---

1. Bibliothèque publique, ancêtre de la bibliothèque Lénine.

blèmes de conscience, ils ne cherchaient pas la vérité. Ils vivaient, tout simplement. Comme l'herbe pousse, comme les oiseaux chantent. Peut-être la clé de l'acceptation du monde se trouve-t-elle dans cette sainte simplicité.

Athéna dit à Ulysse : « Je serai auprès de toi et je ne te perdrai pas de vue, quand nous accomplirons ces choses. Et j'espère que le large pavé sera souillé du sang et de la cervelle de plus d'un de ces Prétendants qui mangent tes richesses [1]. »

Quel Dieu puis-je prier de ne pas m'abandonner ? Où est ma défense, qui est mon protecteur ? Je suis seul. Et si je n'ai pas de Dieu, je suis moi-même Dieu. Vania dit : « Si tout est permis, alors c'est comme pour Smerdiakov. » Mais en quoi Smerdiakov est-il pire que les autres ? Et pourquoi faut-il craindre Smerdiakov ?

Le large pavé sera souillé du sang et de la cervelle...

Qu'il soit souillé. Je n'ai rien contre cela.

13 avril

Erna me dit :

– Il me semble n'avoir vécu que pour te rencontrer. Tu m'es apparu en rêve. Mes prières allaient à toi.

– Erna, et la révolution ?

– Nous mourrons ensemble... Écoute, mon chéri,

---

1. *Odyssée*, chant 13 (traduction de Leconte de Lisle).

quand je suis avec toi il me semble que je suis une petite fille, une enfant encore. Je le sais : je ne puis rien te donner. Mais j'ai de l'amour. Prends-le.

Et elle pleure.

– Erna, ne pleure pas.

– C'est de joie... Tu vois, c'est fini. Tu sais, je voulais te dire... Heinrich...

– Quoi ?

– Seulement, ne te fâche pas... Heinrich m'a dit hier qu'il m'aimait.

– Eh bien ?

– Eh bien, je ne l'aime pas. Je n'aime que toi. Tu n'es pas jaloux, mon chéri ? murmure-t-elle à mon oreille.

– Jaloux, moi ?

– Ne sois pas jaloux. Je ne l'aime pas du tout. Mais il est si malheureux, et cela m'a fait tant de peine, quand il me l'a dit... Et encore : il me semblait que je ne devais pas l'écouter, que c'était te trahir.

– Me trahir, Erna ?

– Mon chéri, je t'aime tant, et j'avais tellement pitié de lui. Je lui ai dit que j'étais son amie. Tu ne m'en veux pas ? Non ?

– Sois tranquille, Erna. Je ne t'en veux pas et je ne suis pas jaloux.

Elle baisse les yeux d'un air vexé.

– Ça t'est égal ? Dis, ça t'est égal ?

– Écoute, il y a des femmes qui sont des épouses fidèles, ou des amantes passionnées, ou de douces amies. Mais toutes ensemble ne valent pas la femme-reine. Celle-là ne donne pas son cœur. Elle fait don de son amour.

Erna écoute, apeurée. Puis elle dit :

– Ainsi, tu ne m'aimes pas du tout ?

Pour toute réponse, je l'embrasse. Elle cache son visage sur ma poitrine et chuchote :

– Nous mourrons ensemble, n'est-ce pas ?

– Peut-être.

Elle s'endort dans mes bras.

15 avril

Je prends place dans le cabriolet de Heinrich. Une fois passé l'Arc de triomphe, je lui demande :

– Alors, comment ça marche ?

– Eh bien, c'est pas facile, lâche-t-il en secouant la tête. Toute la journée sous la pluie, sur son siège.

Je dis :

– Ce n'est pas facile quand on est amoureux.

– D'où le savez-vous ? interroge-t-il en se tournant vivement vers moi.

– D'où je le sais ? Je ne sais rien. Et je ne veux rien savoir.

– George, vous êtes un railleur.

– Je ne raille pas.

Nous arrivons au parc. Les branches mouillées nous aspergent de gouttelettes multicolores. Par-ci par-là, l'herbe commence à verdir.

– George ?

– Oui ?

– George, quand on prépare des bombes, il arrive parfois qu'elles explosent, n'est-ce pas ?

– Ça arrive.

– Donc, Erna peut sauter ?

– Oui.

– George.

– Quoi ?

– Pourquoi lui confiez-vous cela ?

– C'est sa spécialité.

– Sa spécialité ?

– Oui.

– Quelqu'un d'autre ne le pourrait pas ?

– Ce n'est pas possible... Mais qu'avez-vous à vous inquiéter ?

– Non... Ça m'est venu à l'esprit comme ça... Ce n'est rien.

Il reprend la direction de Moscou. A mi-chemin, il m'interpelle de nouveau :

– George.

– Eh bien ?

– C'est pour bientôt ?

– Je pense que oui.

– Dans combien de temps ?

– Deux ou trois semaines encore.

– Ne peut-on faire venir quelqu'un pour remplacer Erna ?

– Non, on ne le peut pas.

Il se recroqueville dans sa blouse bleue, mais ne répond rien.

– Adieu, Heinrich, du courage.

– J'en ai.

– Vraiment, ne pensez à personne.

– Je sais. Plus un mot. Adieu.

Il s'éloigne lentement. Cette fois-ci, je le suis longuement du regard.

16 avril

Je me demande si j'aime vraiment toujours Elena. Ou si
je n'aime qu'une ombre, mon ancien amour pour elle ?
Peut-être Vania a-t-il raison : je n'aime personne, je ne peux
ni ne sais aimer. Peut-être ne vaut-il pas la peine d'aimer ?
Heinrich aime Erna et n'aimera qu'elle, toute la vie.
Mais pour lui, l'amour est source non de joie mais de
tourment. Et mon amour, est-il une joie ?
Je suis de nouveau dans ma chambre, la chambre
morne de cet hôtel morne. Des centaines de personnes
vivent sous le même toit que moi. Je leur suis étranger. Je
suis un étranger dans cette ville de pierre, peut-être dans
le monde entier. Erna s'offre à moi, tout entière, sans
hésiter. Mais je n'en veux pas et lui réponds par quoi ?
L'amitié ? ou le mensonge ? Il est idiot de penser à Elena,
idiot d'embrasser Erna. Mais je pense à la première et
embrasse l'autre. Et puis tout n'est-il pas égal ?

18 avril

Le gouverneur général a déménagé du palais de
Neskoutchnoe à celui du Kremlin. Nos plans sont de nou-
veau à l'eau. Il faut recommencer la surveillance à zéro.
Au Kremlin, c'est plus difficile. Le palais est entouré

d'une chaîne permanente de sentinelles. Des limiers sont sur la place et aux entrées. Ils repèrent chaque passant. Leur suspicion se porte sur chaque cocher.

La police, naturellement, ne sait pas où nous sommes et qui nous sommes. Mais des bruits d'attentat courent déjà dans Moscou. Si l'on nous pend, d'autres prendront la relève. En tout cas, le gouverneur général sera tué.

Hier, au restaurant, j'ai entendu la conversation suivante. Ils étaient deux : l'un avait l'air d'un commis, l'autre devait être son aide, un garçon de courses, dans les dix-huit ans.

– C'est comme Dieu le veut, pour sûr, disait le commis d'un ton sentencieux : pour l'un, c'est une balle, pour l'autre, une bombe. Une jeune fille, t'entends, arrive au palais pour une requête. On l'introduit. Il se met à lire la requête. Pendant ce temps, elle sort un pistolet et lui tire dessus. Quatre balles, qu'elle lui a logé.

Le garçon bat des mains.

– Ça alors... Il est mort ?

– Tu penses, ils ont la vie dure, ces chiens.

– Alors ?

– On l'a pendue, donc. Quelque temps après, arrive une autre jeune fille. De nouveau pour une requête.

– Et on l'a laissée entrer ?

– Elle a raconté je ne sais quoi. Cependant, on l'a fouillée dans l'antichambre. Et qu'est-ce qu'on a trouvé : un pistolet caché dans sa tresse. C'est dire que Dieu veillait au grain...

– Alors ?

– On l'a pendue, donc. Mais qu'est-ce que tu penses ?

– et le conteur écarte les bras pour marquer son étonnement. Quelque temps après, il se promène dans son parc, sur un chemin. Ses gardes l'accompagnent. Soudain, on ne sait d'où, un coup de feu. La balle lui va droit au cœur. A peine s'il a le temps de faire ah ! Et qu'est-ce qu'on a découvert ensuite ? Que c'était un soldat qui avait tiré de derrière un buisson. Un soldat de sa garde à lui.

– Peste... Bien joué.

– Oui... On a pendu le soldat, donc, mais lui, il est quand même mort. C'était écrit dans les cieux. Le destin... – il se penche à travers la table et murmure : Pour le nôtre, tu entends, ce sera une bombe. Chaque jour, il reçoit des tracts : « Attends-toi à une bombe, nous te ferons bientôt sauter. » Et souviens-toi de ma parole : pour sûr qu'on le fera sauter. Oui.

Je le pense aussi.

20 avril

Hier, enfin, j'ai rencontré Elena. Je ne pensais pas à elle, j'avais presque oublié qu'elle était ici, à Moscou. Je marchais dans la rue Petrovka quand j'entendis soudain un appel. Je me retournai. Elena était devant moi. Je vis ses grands yeux gris, les mèches de ses cheveux noirs. Je l'accompagne. Elle me dit en souriant :

– Vous m'avez oubliée.

La gerbe éclatante du soleil vespéral nous frappe le visage. La rue disparaît dans ses rayons, le pavé brille comme de l'or. Je rougis comme une pivoine. Je dis :

– Non, je ne vous ai pas oubliée.

Elle me prend par le bras et me demande doucement :

– Vous êtes ici pour longtemps ?

– Je ne sais pas.

– Que faites-vous ici ?

– Je ne sais pas.

– Vous ne savez pas ?

– Non.

Son visage s'empourpre.

– Moi je le sais. Je vais vous le dire.

– Dites-le.

– Vous chassez ? Hein ?

– Peut-être.

– Et vous serez certainement pendu.

– Peut-être.

Les rayons du soir se sont éteints. Il fait frais et gris.

Je veux lui dire beaucoup de choses. Mais j'ai oublié tous les mots. Je dis seulement :

– Pourquoi êtes-vous à Moscou ?

– Mon mari y a été nommé.

– Votre mari ?

Je me souviens soudain de ce mari. C'est vrai que je l'ai rencontré. Bien sûr, elle a un mari.

– Adieu, dis-je en lui tendant maladroitement la main.

– Vous êtes pressé ?

– Oui.

– Restez.

Je regarde ses yeux. Ils brillent d'amour. Mais le souvenir du mari me revient.

– Au revoir.

Moscou la nuit est sombre et désert. Je vais au Tivoli[1]. L'orchestre retentit, des femmes rient effrontément. Je suis seul.

25 avril. *Pétersbourg*

Le gouverneur général est parti pour Pétersbourg. Je l'y ai suivi : ici, ce sera peut-être plus facile de le tuer. C'est avec joie que je revois la Neva, la coupole étincelante de Saint-Isaac. A Pétersbourg, le printemps est joli. Il est chastement serein. Comme une jeune fille de seize ans.

Le gouverneur général va voir le tsar, à Peterhof. J'ai pris le même train, en première classe. Entre une dame élégamment habillée. Elle fait tomber son mouchoir. Je le lui ramasse.

– *Vous allez à Peterhof?* me demande-t-elle en français.

– Oui, à Peterhof.

– Vous n'êtes pas russe ? dit-elle en me dévisageant.

– Je suis anglais.

– Anglais ? Comment vous appelez-vous ? Je vous connais.

J'hésite une minute. Puis je sors une carte de visite :

GEORGE O'BRIEN
Ingénieur
Londres-Moscou

---

1. Jardin d'attractions et restaurant.

– Ingénieur... Enchantée... Venez me voir. Je vous attendrai.

A Peterhof, je tombe de nouveau sur elle. Au buffet de la gare, elle prend un thé avec un Juif qui ressemble beaucoup à un limier. Je m'approche d'elle. Je dis :

– Heureux de vous rencontrer à nouveau.

Elle rit.

Nous nous promenons ensemble sur le quai. Il est coupé en deux par un cordon de gendarmes[1].

Je demande :

– Pourquoi y a-t-il ici tant de gendarmes ?

– Vous ne savez pas ? Il se prépare un attentat contre le gouverneur général de Moscou. Il est à présent à Peterhof et va prendre ce train. Oh, ces vauriens d'anarchistes...

– Un attentat ? Contre le gouverneur général ?

– Ha, ha, ha !... Il ne le sait pas... Ne jouez pas la comédie...

Dans le wagon, le contrôleur passe. Elle lui tend une carte de couleur grise. J'y lis, imprimé en italique : *Direction de la gendarmerie de Peterhof.*

– Vous avez sans doute un abonnement ?

Elle devient cramoisie.

– Non, ce n'est rien... on m'en a fait cadeau... Ah, comme je suis heureuse d'avoir fait votre connaissance... J'adore les Anglais...

Un coup de sifflet. La gare de Pétersbourg. Je la salue

---

1. On appelait « gendarmes » les forces de la Sécurité politique.

et la suis à la dérobée. Elle entre dans le poste de gendarmerie. « Une espionne », me dis-je.

A l'hôtel, je réfléchis : ou bien on me surveille – et alors bien sûr je suis perdu –, ou bien cette rencontre est un hasard, une coïncidence fâcheuse. Je veux savoir la vérité. Je veux contrôler le destin.

Je mets mon haut-de-forme. Je prends un fiacre. Je sonne à l'adresse indiquée.

– Madame est-elle chez elle ?

– Veuillez entrer.

La pièce est une bonbonnière. Dans un coin, un bouquet de roses thé : un cadeau. Sur les guéridons et aux murs, des portraits de la maîtresse de maison. Sous toutes les apparences et dans toutes les poses.

– Ah, vous êtes venu… Comme c'est gentil… Asseyez-vous.

Nous causons en français. Je fume un cigare, mon chapeau sur les genoux.

– *Vous habitez Moscou ?*

– *Oui, Moscou.*

– *Les dames russes vous plaisent-elles ?*

– *Il n'y a pas mieux au monde.*

On frappe à la porte.

– Entrez.

Entrent deux messieurs à grandes moustaches, tout noirauds. Des escrocs ou des souteneurs. Serrements de mains.

Tous les trois se retirent dans l'embrasure de la fenêtre.

– Qui est-ce ? demande-t-on à voix basse.

– Lui ? Un ingénieur anglais, riche. Parle, ne sois pas gêné : il ne comprend pas un mot de russe.

Je me lève.

– Je regrette de devoir vous quitter. J'ai l'honneur de vous saluer.

De nouveau, serrements de mains. Et dans la rue, éclat de rire : Dieu soit loué, je suis anglais.

26 avril. Pétersbourg

Le gouverneur général s'en retourne à Moscou. J'erre sans but dans la ville.

Le jour baisse. Le pourpre du couchant sur la Neva. La flèche nette de la forteresse perce le ciel.

Aux portes de chêne de la forteresse, une guérite tricolore[1] : symbole de notre esclavage. Derrière le mur blanc, la gueule noire du corridor. L'écho de pas sur les dalles de pierre. Dans les cellules, l'obscurité, les grilles des ouvertures. La nuit, le tremblement du carillon. Affliction sur toute la terre.

Beaucoup de mes amis ont été pendus ici. Beaucoup seront encore pendus.

Je vois les bastions bas, les murs gris. Manque de forces pour nous venger, trop peu de forces pour détruire ces pierres. Mais il viendra, le jour de la grande colère[2]...

Qui résistera, ce jour-là ?

1. Peinte aux couleurs du drapeau russe (blanc, bleu, rouge, en bandes horizontales). Ce drapeau a été rétabli par B. Eltsine en décembre 1993.
2. Apocalypse, 6, 17.

28 avril

Dans le parc, il fait encore jour. Les tilleuls sont nus, mais les noisetiers sont déjà couverts de feuilles. Des oiseaux chantent dans les buissons verts.

Elena se penche pour cueillir des fleurs. Elle se tourne vers moi et rit :

– Comme on est bien... Comme aujourd'hui tout est joyeux et lumineux, n'est-ce pas ?

Oui, je me sens joyeux et lumineux. Je la regarde dans les yeux et veux lui dire que c'est en elle que réside la joie, et qu'elle incarne une lumière vive. Moi aussi, je ris involontairement.

– Cela fait bien longtemps que je ne vous ai pas vu, poursuit-elle. Où étiez-vous, quoi de neuf ?... Avez-vous pensé à moi ? – et sans attendre de réponse, elle rougit : J'ai tant craint pour vous.

Je ne me rappelle pas une pareille matinée. Le muguet fleurit, ça sent le printemps. Des nuages duveteux fondent dans le ciel les uns après les autres. Mon cœur est de nouveau plein de joie : elle a craint pour moi.

– Vous savez, je vis sans remarquer la vie. Voyez, je vous regarde et il me semble que ce n'est pas vous, mais quelqu'un d'étranger et cependant de cher. Oui, de fait, vous m'êtes étrangère... Est-ce que je vous connais ? Est-ce que vous me connaissez ? Et c'est inutile... Nous n'avons besoin de rien savoir. Nous sommes bien comme cela, n'est-ce pas ? On est bien, n'est-ce pas ?

Et après un instant de silence, elle dit avec un sourire :

– Non, dites-moi plutôt ce que vous avez fait, de quoi est faite votre vie ?

– Vous savez bien de quoi est faite ma vie.

Elle baisse les yeux :

– Ainsi, c'est vrai... le terrorisme ?

– Le terrorisme.

Une ombre passe sur son visage. Elle me prend la main et se tait.

– Écoutez, dit-elle enfin, je ne comprends rien à cela... Mais expliquez-moi pourquoi tuer... Pourquoi ? Regardez comme c'est beau, ici : le printemps s'épanouit, les oiseaux chantent. Et vous, vous pensez à quoi ? Vous vivez de quoi ? De la mort. Mon chéri, à quoi bon ?

Je veux lui dire que le sang lave le sang, que nous tuons à contrecœur, que la terreur est nécessaire pour la révolution, et que la révolution est nécessaire pour le peuple. Mais j'ignore pourquoi je ne peux lui confier ces mots-là. Je sais que ce ne sont pour elle que des mots et qu'elle ne me comprendra pas.

Mais elle insiste :

– Mon chéri, à quoi bon ?

Les arbres sont couverts de rosée ; quand l'épaule frôle une branche, il en tombe une pluie de gouttelettes multicolores. Je garde le silence.

– N'est-il pas préférable de vivre, de vivre tout simplement ?... Ou bien ne vous ai-je pas compris ? Serait-ce nécessaire ?... Non, non ? se répond-elle à elle-même, ce n'est pas nécessaire, ça ne peut pas être nécessaire...

Et je demande timidement, comme un petit garçon :

– Que faut-il donc, Elena ?

– Vous me le demandez ? Vous ?... Comment le saurais-
je ? Comment puis-je le savoir ? Je ne sais rien, rien... Et
je ne veux rien savoir... Aujourd'hui, nous sommes bien...
Et il ne faut pas penser à la mort... Il ne faut pas...

La voilà de nouveau qui cueille des fleurs en riant, et je
pense que bientôt je serai de nouveau seul et que son rire
enfantin ne résonnera plus pour moi mais pour un autre.

Le sang me monte au visage. Je dis dans un souffle :

– Elena.

– Quoi, mon chéri ?

– Vous me demandez ce que je faisais ?... Je... Je pensais à vous.

– Vous pensiez à moi ?

– Oui... Vous le voyez bien : je vous aime...

Elle baisse les yeux.

– Ne me parlez pas ainsi.

– Pourquoi ?

– Mon Dieu... N'ajoutez rien. Adieu.

Elle s'éloigne rapidement. Et sa robe noire apparaît
encore longtemps entre les bouleaux blancs.

29 avril

J'ai écrit une lettre à Elena :

« Il me semble qu'il y a des années que je vous ai vue.
Chaque heure, chaque minute, je ressens votre absence.
Jour et nuit, partout et toujours, je vois vos yeux rayon-
nants.

« Je crois en l'amour, en mon droit d'aimer. Au fond de mon cœur, au fin fond, vit la certitude tranquille, le pressentiment de l'avenir. Il doit en être ainsi. Il se réalisera. « Je vous aime et je suis heureux. Réjouissez-vous vous aussi de l'amour. »

J'ai reçu une brève réponse :

« Demain à Sokolniki, à six heures. »

30 avril

Elena me dit :
– Je suis contente, je suis heureuse que vous soyez avec moi... Mais ne me parlez pas d'amour.

Je garde le silence.
– Non, promettez-le moi : ne me parlez pas d'amour... Et ne soyez pas triste, ne pensez à rien.
– Je pensais à vous.
– A moi ?... Ne pensez pas à moi...
– Pourquoi ? – et tout de suite, je réponds moi-même : Vous êtes mariée ? Le mari ? L'honneur du mari ? Le devoir d'une femme honnête ? Oh, bien sûr, excusez-moi... J'ai osé parler de mon amour, j'ai osé demander le vôtre. Pour les femmes vertueuses, seule compte la paix du foyer, les chambres propres du cœur. Excusez-moi.
– N'avez-vous point honte ?
– Non, je n'ai pas honte. Je sais : la tragédie de l'amour et de la robe de mariée, du mariage légal, des baisers

légaux des conjoints. Ce n'est pas moi qui ai honte, Elena, mais vous.

– Taisez-vous.

Nous marchons quelques minutes en silence sur un sentier du parc. Son visage est encore marqué par la colère.

– Écoutez, dit-elle en se tournant vers moi, se peut-il que pour vous la loi existe ?

– Pour moi, non, mais pour vous, oui.

– Non... Mais vous... Vous vivez pour le sang. Admettons que cela soit nécessaire, mais vous... pourquoi vivez-vous pour le sang ?

– Je ne le sais pas.

– Vous ne le savez pas ?

– Non.

– Écoutez, en fait, c'est votre loi... Vous vous êtes dit : Il le faut.

Après un silence, je rectifie :

– Non. J'ai dit : Je le veux.

– C'est ce que vous voulez ? – elle me regarde droit dans les yeux avec étonnement : C'est ce que vous voulez ?

– Eh bien oui.

Soudain, elle pose doucement ses mains sur mes épaules :

– Mon cher, mon cher George.

Et vivement, avec souplesse, elle m'embrasse sur les lèvres. Longuement, ardemment. J'ouvre les yeux : elle a déjà disparu. Où est-elle ? N'ai-je pas fait un rêve ?

1er mai

Aujourd'hui, c'est le 1er mai, la fête des ouvriers. J'aime ce jour-là. Il y a beaucoup de lumière et de joie. Mais précisément aujourd'hui, j'aurais volontiers tué le gouverneur général.

Il est devenu prudent. Il se cache dans son palais et nous le surveillons en vain. Nous ne voyons que des mouchards et des soldats. Et ils nous voient. Je pense pour cela cesser notre surveillance.

J'ai appris que le 14, pour l'anniversaire du couronnement[1], il ira au théâtre. Nous bloquerons les portes du Kremlin. Vania se tiendra à la porte du Sauveur, Fiodor à la porte de la Trinité, Heinrich à celle du Bois. Ici sera notre constance[2].

Je me réjouis à l'avance de la victoire. Je vois le sang sur son uniforme. Je vois les voûtes sombres de l'église, les cierges allumés. J'entends les chants funèbres, je sens l'odeur étouffante de l'encens. Je veux sa mort.

Je veux pour lui « l'étang de feu et de soufre[3] ».

1. Le gouverneur général de Moscou (le grand-duc Serge) était tenu pour responsable de la mauvaise organisation des festivités populaires qui suivirent le couronnement de Nicolas Ier : le 18 mai 1896, bousculades et panique causèrent la mort, sur le champ de Khodynka, de 1389 personnes (chiffre officiel).
2. Écho de l'Apocalypse, 13, 10 (« Ici est la constance et la foi des saints »).
3. Apocalypse, 20, 10.

2 mai

Ces jours-ci, je suis comme pris de fièvre. Une seule chose occupe ma volonté : le désir de tuer. La vigilance ne me quitte pas : ne suis-je pas filé ? Je crains que nous ne moissonnions pas ce que nous avons semé, que l'on nous arrête. Mais ils ne m'auront pas vivant.

Je suis maintenant installé au Bristol. Hier, on m'a rapporté mon passeport. C'est un limier du commissariat qui est venu. Il piétine à l'entrée de ma chambre et dit :

– Oserais-je vous demander... Le commissaire de police voudrait savoir de quelle confession vous êtes.

Étrange question. Mon passeport indique que je suis luthérien. Sans tourner la tête, je dis :

– Comment ?

– De quelle confession, monsieur, de quelle religion ?

Je prends le passeport. Je lis à haute voix le titre anglais de lord Landsdowne : « *We, Henry Charles Keith Petty Fitz Maurice Marquess of Landsdowne, Earl Wycombe* », etc. Je ne sais pas lire l'anglais. Je prononce toutes les lettres à la suite.

Le limier écoute attentivement.

– C'est clair ?

– Oui, monsieur.

Je dis en russe avec un fort accent :

– Va dire au commissaire : J'envoie un télégramme à l'ambassadeur. Compris ?

– Oui, monsieur.

Je lui tourne le dos, je regarde par la fenêtre. J'articule avec force :

– Et maintenant, fous-moi le camp.

Il part en saluant. Je reste seul. Me surveillerait-on ?

6 mai

Nous nous sommes donné rendez-vous à Kountsevo, au pied du remblai de la voie ferrée : Vania, Heinrich, Fiodor et moi. Ils sont en bottes molles, la casquette sur la tête : à la paysanne.

Je dis :

– Le 14, le gouverneur général se rendra au théâtre. Il faut maintenant décider des postes. Qui jettera la première bombe ?

Heinrich est ému :

– La première place est pour moi.

Je regarde Vania d'un air interrogatif. Il a les cheveux bouclés, blonds, les yeux gris, le front pâle.

Heinrich répète :

– Absolument, moi, absolument.

Vania a un sourire caressant :

– Non, Heinrich, j'attends depuis très longtemps. Ne vous chagrinez pas : c'est mon droit. La première place me revient.

L'air indifférent, Fiodor tire des bouffées de sa cigarette.

Je demande :

– Fiodor, et toi ?

– Eh bien, je suis toujours prêt.

Je dis alors :

– Le gouverneur général passera sans doute par la

porte de la tour du Sauveur. Vania se postera là, Fiodor se mettra à la porte de la Trinité, Heinrich à celle du Bois. C'est Vania qui lancera la première bombe.

Nous nous taisons tous.

Des rails fins courent sur le remblai. Les poteaux télégraphiques s'en vont vers l'horizon. Tout est calme. Seuls les fils bourdonnent.

– Écoute, dit Vania, voilà à quoi j'ai pensé. Il est facile de se tromper. La bombe pèse quatre kilos. En la lançant à bout de bras, on n'est pas sûr de bien viser. Si on touche la roue arrière, il en réchappera. Rappelle-toi le 1er mars, Ryssakov [1].

Heinrich s'agite :

– Oui, oui… Comment faire?

Fiodor écoute attentivement. Vania dit :

– Le meilleur moyen, c'est de se jeter sous les pattes des chevaux.

– Et alors?

– Et alors, la voiture et les chevaux sauteront sûrement.

– Et toi avec.

– Et moi avec.

Fiodor hausse les épaules avec dédain :

– Pas besoin de ça. On l'aura simplement. Il suffit de courir vers la portière et de jeter la bombe par la vitre. Et c'en sera fait.

Je les regarde. Fiodor est couché sur le dos dans l'herbe,

---

1. Ryssakov : le premier des lanceurs de bombes de l'attentat contre Alexandre II, le 1er mars 1881.

et le soleil brûle ses joues basanées. Il cligne des yeux : le printemps le réjouit. Vania est pâle, son regard pensif se perd dans le lointain. Heinrich fait les cent pas et fume avec acharnement. Au-dessus de nous, le ciel bleu.

Je dis :

– Je vous avertirai quand vous pourrez revendre vos cabriolets. Fiodor s'habillera en officier ; toi, Vania, en concierge et vous, Heinrich, vous resterez en moujik, en sarrau.

Fiodor se tourne vers moi. Il est content. Il rit :

– On m'appellera « Votre Noblesse »… Parfait ! Je vais être un Monsieur en un tour de main.

Vania dit :

– Georget, il faut encore penser aux bombes.

Je me lève :

– Sois tranquille. Je pense à tout.

Je leur serre la main à tous. Sur le chemin, Heinrich me rattrape :

– George.

– Quoi ?

– George… Comment ça… Comment Vania va-t-il aller…

– Comme ça.

– Ça veut dire qu'il va périr ?

– Oui.

Il regarde à ses pieds, dans l'herbe. Sur l'herbe fraîche, on voit la trace de nos pas.

– Je ne le peux pas, dit-il sourdement.

– Qu'est-ce que tu ne peux pas ?

– Ça… Le laisser aller…

Il s'arrête. Il parle rapidement :

– Mieux vaut que j'y aille le premier. C'est moi qui périrai. Pensez-y, si on le pend. Car on le pendra ? On le pendra ?

– Bien sûr qu'on le pendra.

– Non, George, écoutez, non... Se peut-il qu'il disparaisse ? Nous avons tranquillement pris une décision, et après notre décision, Vania va sûrement périr. L'important, c'est que c'est sûr. Non, de grâce, non...

Il tire les poils de sa barbe. Ses mains tremblent. Je dis :

– Voilà, Heinrich, de deux choses l'une : ou bien nous parlons de terrorisme, et alors vous cessez ces discours assommants, ou bien vous continuez à discourir et vous retournez d'où vous venez, à l'université !

Il se tait. Je le prends par le bras.

– Souvenez-vous, Togo a dit à ses Japonais : « Je ne regrette qu'une chose, c'est de ne pas avoir d'enfants pour partager votre sort. » Nous aussi, nous devons seulement regretter de ne pas pouvoir partager le sort de Vania. Et il n'y a pas de quoi pleurer.

Moscou est tout proche. L'Arc de triomphe étincelle au soleil. Heinrich lève les yeux :

– Oui, George, vous avez raison.

Je ris :

– Attendez encore : *suum cuique* [1].

---

1. « A chacun le sien. » Maxime des jurisconsultes romains.

7 mai

Quand Erna vient chez moi, elle s'assied dans un coin et fume. Je n'aime pas les femmes qui fument. Et j'ai envie de le lui dire.

– C'est pour bientôt, Georget?

– Pour bientôt.

– Quand?

– Le 14, pour l'anniversaire du couronnement.

Elle s'emmitoufle dans un châle épais. On ne voit que ses yeux bleus.

– Qui est le premier?

– Vania.

– Vania?

– Oui, Vania.

Ses grandes mains me sont désagréables, sa voix caressante m'est désagréable, le rouge de ses joues m'est désagréable. Je me détourne. Elle dit :

– Quand faut-il préparer les bombes?

– Attends. Je t'en informerai.

Elle fume longuement. Puis se lève et marche en silence dans la chambre. Je regarde ses cheveux. Ils ressemblent à du lin et frisent sur les tempes et le front. Est-il possible que je l'ai embrassée?

Elle s'arrête. Me regarde timidement dans les yeux :

– Tu crois certainement au succès?

– Bien sûr.

Elle soupire :

– Dieu le veuille.

– Tu n'y crois pas, Erna?

– Si, j'y crois.

Je dis :

– Si tu n'y crois pas, va-t'en.

– Comment, Georget, mon chéri, j'y crois.

Je répète :

– Va-t'en.

– George, qu'as-tu ?

– Ah, rien. Laisse-moi, de grâce.

Elle se blottit de nouveau dans un coin, s'emmitoufle de nouveau dans son châle.

Je n'aime pas ces châles de femmes. Je garde le silence. Sur la cheminée, la pendule fait tic-tac. J'appréhende : des plaintes et des larmes.

– Georget.

– Qu'y a-t-il, Erna ?

– Non. Rien.

– Bon, alors, adieu. Je suis fatigué.

A la porte, elle murmure tristement :

– Mon chéri, adieu.

Ses épaules tombent. Ses lèvres tremblent.

J'ai pitié d'elle.

8 mai

On dit que là où il n'y a pas de loi, il n'y a pas de crime. Où est mon crime, si j'embrasse Elena ? Où est ma faute, si je ne veux plus d'Erna ? Je me le demande et je ne trouve pas de réponse.

Si j'avais une loi, je ne tuerais pas, je n'embrasserais

sans doute pas Erna, je ne rechercherais pas Elena. Mais en quoi réside ma loi ?

On dit encore qu'il faut aimer les êtres humains. Mais s'il n'y a pas d'amour dans le cœur ? On dit qu'il faut les respecter. Et si je n'éprouve pas de respect ? Je suis à la limite de la vie et de la mort. A quoi bon me parler de péché ? Je peux dire de moi : « ... Et je vis venir un cheval blême. Son cavalier s'appelle *La Mort* et il était suivi du séjour des morts. » Là où ce cheval pose son sabot, l'herbe se dessèche, et là où l'herbe sèche, il n'y a pas de vie, donc il n'y a pas de loi. Car la mort n'est pas la loi.

9 mai

Fiodor a vendu son équipage à la place aux Chevaux. C'est maintenant un officier, un cornette des dragons. Ses éperons résonnent, son sabre tinte sur le pavé. En uniforme il paraît plus grand, sa démarche est plus assurée et plus ferme.

Nous sommes assis tous les deux dans le parc de Sokolniki, sur une esplanade poussiéreuse. Dans le kiosque à musique, des cordes chantent. Passent des uniformes de militaires, des toilettes féminines blanches. Les soldats saluent Fiodor.

Il dit :

– Écoute, combien tu penses que ce costume a été payé ?

Il montre du doigt une dame élégante à une table voisine.

Je hausse les épaules :

– Je ne sais pas. Dans les deux cents roubles, sans doute.

– Deux cents ?

– Oui.

Silence.

– Écoute.

– Quoi ?

– Quand je travaillais, je gagnais un rouble par jour.

– Et alors ?

– Rien.

Des lumières électriques jaillissent. Un globe mat brille au-dessus de nous. Sur la nappe blanche, des ombres bleues.

– Écoute.

– Quoi, Fiodor ?

– Qu'est-ce que tu dirais, si par exemple, ceux-là...

– Quoi, ceux-là ?

– Ben, avec une bombe...

– A quoi bon ?

– Pour qu'ils sachent.

– Qu'ils sachent quoi ?

– Que les ouvriers meurent comme des mouches.

– Fiodor, mais c'est de l'anarchisme.

Il me fait répéter :

– Quoi ?

– C'est de l'anarchisme, Fiodor.

– De l'anarchisme ?... Quel mot... Ce costume a été payé deux cents roubles, et des enfants quémandent un kopeck. Qu'est-ce que c'est ?

Ça me fait bizarre de voir ses épaulettes argentées, son uniforme en toile blanche, le liseré blanc de son képi. Ça me fait bizarre de l'entendre parler ainsi.

Je dis :

– Pourquoi es-tu irrité, Fiodor ?

– Eh, il n'y a point de justice au monde. Nous passons toute la journée à l'usine, les mères se lamentent, les sœurs traînent dans les rues... Et ceux-là... deux cents roubles... Eh... Une bonne bombe là-dedans, y a pas à dire.

Les buissons disparaissent dans l'obscurité, les arbres forment une masse noire sinistre. Fiodor s'est accoudé à la table et se tait. Il y a de la rage dans ses yeux.

– Une bonne bombe là-dedans, y a pas à dire.

10 mai

Il ne reste plus que trois jours. Dans trois jours, le gouverneur général sera tué. Le roc deviendra poussière.

L'image d'Elena est devenue floue. Je ferme les yeux pour la ressusciter. Je sais : elle a des cheveux noirs et des sourcils noirs, ses mains sont fines. Mais je ne la vois pas. Je vois un masque mort. Et cependant, au fond de l'âme vit un secret espoir : elle sera de nouveau mienne.

A présent, ça m'est égal. Hier, le premier orage a grondé. Aujourd'hui, l'herbe est lavée, et à Sokolniki les lilas sont en fleurs. Au couchant, le coucou chante. Mais je ne remarque pas le printemps. J'ai presque oublié Elena. Qu'elle aime son mari, si elle le veut, tant pis si elle ne m'appartient pas. Je suis seul. Je resterai seul.

C'est ce que je me dis. Mais je sais : ces quelques jours
passeront, et mes pensées iront de nouveau à elle. La vie
se refermera comme un cercle de fer. Si seulement ces
jours pouvaient passer...

Aujourd'hui, je me promenais sur le boulevard. Il y
avait encore une odeur de pluie, mais les oiseaux gazouil-
laient déjà. A droite, sur l'allée mouillée, à ma hauteur, je
remarquai un individu. Un Juif, en chapeau melon, avec
un long pardessus jaune. Je tournai dans une petite rue
déserte.

Je me demande de nouveau si je ne suis pas surveillé.

11 mai

Vania fait toujours le cocher. Il est venu à mon rendez-
vous, tout endimanché. Nous sommes assis sur un banc
dans le square de l'église du Christ Sauveur.

– Georget, voilà la fin.

– Oui, Vania, la fin.

– Comme je suis content. Comme je serai heureux et
fier. Tu sais, toute la vie me paraît un songe. Comme si
j'étais né pour mourir et... tuer.

Les coupoles de l'église blanche se perdent dans le ciel.
En bas, la rivière scintille au soleil. Vania est calme. Il dit :

– Il est difficile de croire aux miracles. Mais si l'on y
croit, il n'y a plus de questions. Pourquoi la violence,
alors, pourquoi le glaive, pourquoi le sang ? Pourquoi
« Tu ne tueras pas » ? Mais voilà, nous manquons de foi.
Les miracles, dit-on, ce sont des contes d'enfants. Mais

écoute, et dis-moi si ce sont des contes ou non. Peut-être que ce ne sont pas des contes du tout, mais la vérité. Écoute bien.

Il sort un Évangile relié en cuir noir. Une croix dorée est gravée sur la couverture.

« Jésus dit : Ôtez la pierre. Marthe, la sœur du mort, lui dit : Seigneur, il sent déjà, car il y a quatre jours qu'il est là.

» Jésus lui dit : Ne t'ai-je pas dit que, si tu crois, tu verras la gloire de Dieu ?

» Ils ôtèrent donc la pierre. Et Jésus leva les yeux en haut, et dit : Père, je te rends grâces de ce que tu m'as exaucé.

» Pour moi, je savais que tu m'exauces toujours ; mais j'ai parlé à cause de la foule qui m'entoure, afin qu'ils croient que c'est toi qui m'as envoyé.

» Ayant dit cela, il cria d'une voix forte : Lazare, sors !

» Et le mort sortit, les pieds et les mains liés de bandes, et le visage enveloppé d'un linge. Jésus leur dit : Déliez-le, et laissez-le aller [1].

Vania referme l'Évangile. Je ne dis rien. Il répète pensivement :

– « Seigneur, il sent déjà, car il y a quatre jours qu'il est là. »

Des hirondelles tournent dans l'air bleu. De l'autre côté de la rivière, les cloches d'un monastère sonnent pour les vêpres. Vania dit à mi-voix :

– Tu entends, George, quatre jours…

– Eh bien ?

---

1. Jean, 11, 39-44.

– C'est un grand miracle.

– Et Séraphim de Sarov aussi, c'est un miracle[1]?

Vania n'entend pas.

– George.

– Quoi, Vania?

– Écoute.

» Cependant Marie se tenait dehors près du sépulcre, et pleurait. Comme elle pleurait, elle se baissa pour regarder dans le sépulcre.

» Et elle vit deux anges vêtus de blanc, assis à la place où avait été couché le corps de Jésus, l'un à la tête, l'autre aux pieds.

» Ils lui dirent : Femme, pourquoi pleures-tu? Elle leur répondit : Parce qu'ils ont enlevé mon Seigneur, et je ne sais où ils l'ont mis.

» En disant cela, elle se retourna, et elle vit Jésus debout; mais elle ne savait pas que c'était Jésus.

» Jésus lui dit : Femme, pourquoi pleures-tu? Qui cherches-tu? Elle, pensant que c'était le jardinier, lui dit : Seigneur, si c'est toi qui l'as emporté, dis-moi où tu l'as mis, et je le prendrai.

» Jésus lui dit : Marie! Elle se retourna, et lui dit en hébreu : *Rabbouni!* c'est-à-dire, Maître[2]!

---

1. Séraphim de Sarov (1759-1833), moine (starets) thaumaturge. Sa canonisation, souhaitée par Nicolas II, eut lieu en 1903. Le grand-duc Serge assista aux cérémonies et une « folle en Christ », Pacha, pressentit son assassinat : « Je ne pouvais pas le regarder. Je voyais sa cervelle répandue sur un trottoir. » Cependant, George fait ici plutôt allusion au retour à la vie de Séraphim, laissé pour mort après avoir été attaqué par des brigands, en 1804.
2. Jean, 20, 11-16.

Vania se tait. Il n'y a pas un bruit.

– Tu as entendu, George ?

– Oui.

– Est-ce que ça peut être un conte ? Dis.

– Tu y crois, Vania ?

Il récite par cœur :

– « Thomas, appelé Didyme, l'un des douze, n'était pas avec eux lorsque Jésus vint.

» Les autres disciples lui dirent donc : Nous avons vu le Seigneur. Mais il leur dit : Si je ne vois dans ses mains la marque des clous, et si je ne mets mon doigt dans la marque des clous, et si je ne mets ma main dans son côté, je ne croirai point.

» Huit jours après, les disciples de Jésus étaient de nouveau dans la maison, et Thomas se trouvait avec eux. Jésus vint, les portes étant fermées, se présenta au milieu d'eux, et dit : La paix soit avec vous !

» Puis il dit à Thomas : Avance ici ton doigt, et regarde mes mains ; avance aussi ta main, et mets-la dans mon côté ; et ne sois pas incrédule, mais crois.

» Thomas lui répondit : Mon Seigneur et mon Dieu ! Jésus lui dit :

» Parce que tu m'as vu, tu as cru. Heureux ceux qui n'ont pas vu, et qui ont cru [1] !

– Oui, George, « Heureux ceux qui n'ont pas vu, et qui ont cru ! »

Le jour fond, une fraîcheur printanière se lève. Vania secoue ses boucles :

1. Jean, 20, 24-29.

– Bon, Georget, adieu. Adieu pour toujours. Et sois heureux.

Il y a de la tristesse dans ses yeux purs. Je dis :

– Vania, et le « Tu ne tueras pas »?...

– Non, Georget, tu tueras.

– C'est toi qui dis cela?

– Oui, je le dis. Tue, pour qu'on ne tue plus. Tue, pour que les hommes vivent selon Dieu, pour que l'amour sanctifie le monde.

– C'est un sacrilège, Vania.

– Je sais. Mais « Tu ne tueras pas », ce n'est pas un sacrilège?

Il me tend les deux mains. Il sourit d'un large et lumineux sourire. Et soudain, il m'embrasse vigoureusement, comme un frère.

– Sois heureux, George.

Je l'embrasse aussi.

12 mai

Aujourd'hui, j'ai eu un rendez-vous avec Fiodor au salon de thé Siou[1]. Nous devions nous entendre sur les détails de l'attentat.

Ensuite, je suis sorti le premier dans la rue. Devant la porte voisine, j'ai remarqué trois limiers. Je les ai reconnus à leurs yeux rapides, à leurs regards tendus. Je me figeai devant la vitrine. Je me transformai moi-même en limier. Je les surveillais. Sont-ils là pour nous, ou non?

1. Rue de Tver.

101

Voici Fiodor qui sort. Il se dirige tranquillement vers la rue Neglinnaïa. Et aussitôt un des limiers, un grand roux, en tablier blanc et casquette maculée, saute dans un fiacre. Les deux autres le suivent en courant. Je voulus rattraper Fiodor, l'arrêter. Mais il monta dans une voiture de luxe qui passait. Toute la harde, toute la meute de lévriers haineux se précipita à ses trousses. J'étais persuadé que c'en était fait de lui.

Moi non plus, je n'étais pas seul. D'étranges figures m'entouraient. Voici un individu avec un manteau qui n'est pas à sa taille. Il baisse la tête, il croise ses mains cramoisies derrière son dos. Un autre, vêtu de guenilles, boite : un pauvre du marché Khitrov. Voici mon juif de tantôt. Il porte un haut-de-forme, il a une barbe noire bien taillée. Je compris qu'on allait m'arrêter.

Midi sonne. A une heure, j'ai rendez-vous avec Vania dans la ruelle Saint-Georges. Vania n'a pas encore vendu son cabriolet. Il est toujours cocher. J'espère secrètement qu'il m'emportera.

Je rejoins la rue de Tver. Je veux me perdre dans la foule, me noyer dans la mer des passants. Mais devant moi, de nouveau la même figure : les mains dans le dos, les jambes empêtrées dans les pans du manteau. Et de nouveau, à côté, le juif noir en haut-de-forme. J'ai remarqué qu'il ne me quittait pas des yeux.

Je tourne dans la ruelle Saint-Georges. Vania n'y est pas. Je vais jusqu'au bout et fais vivement demi-tour. Des yeux se plantent sur moi comme des clous. Quelqu'un d'alerte, de vigilant ne me quitte pas d'un pas.

Je suis de nouveau dans la rue de Tver. Je me souviens :

au coin, il y a un passage qui débouche sur la ruelle Saint-Georges. J'y entre en courant. Je me cache dans l'entrée. Le dos plaqué au mur, figé. Des minutes passent, qui paraissent des heures. Je le sais : le juif noir est à côté, il me guette. Il attend. Il est le chat, et moi la souris. Il n'y a que quatre pas jusqu'à la sortie. J'arme mon browning, je mesure la distance des yeux. Et soudain, d'un bond, je suis dans la rue. Vania vient lentement à ma rencontre. Je me précipite sur lui :

– Vania, file !

Les roues retentissent sur le pavé, les ressorts grincent dans les tournants. Nous changeons de direction. Vania fouette sa rosse. Je me retourne : la rue est vide. Il n'y a personne. Nous leur avons échappé.

Ainsi donc, plus de doute : nous sommes surveillés. Mais je ne perds pas espoir. Si ce n'était qu'une surveillance fortuite ? S'ils ignorent qui nous sommes ? Si nous réussissons à terminer notre affaire ? Si nous arrivons à tuer ?

Mais Fiodor me revient à l'esprit : où est-il ? Ne l'a-t-on pas arrêté ?

13 mai

Fiodor m'attend à l'Ours, le restaurant du quai Sainte-Sophie. Je dois le voir. S'il est encerclé, l'affaire est perdue. S'il réussit à s'échapper, nous tiendrons jusqu'à demain – et demain nous vaincrons.

J'ai pris place à une table près de la fenêtre. Je vois la

rue, je vois un sergent de ville sous sa cape trempée, un fiacre avec sa capote relevée, les parapluies de rares passants. La pluie tambourine contre les vitres, coule avec morosité des toits. Grisaille. Ennui.

Fiodor entre. Ses éperons tintent, il me salue. Et dehors, sous la pluie, apparaissent les figures familières. Deux parmi elles, le visage mouillé rentré dans le col, surveillent l'entrée. Deux autres font le guet au coin, en plus du sergent de ville. L'un d'eux est le boiteux d'hier. Je cherche des yeux le juif. Le voilà lui aussi, sous l'auvent découpé de la porte cochère.

Je dis :

– Fiodor, nous sommes surveillés.

– Que dis-tu ?

– Nous sommes surveillés.

– Ce n'est pas possible.

Je le prends par la manche :

– Jette un coup d'œil.

Il regarde attentivement par la fenêtre. Puis il commente :

– Ce boiteux... L'animal, comme il est trempé... Oui... En voilà, une affaire... Comment faire, George ?

L'immeuble est cerné par la police. Il y a peu de chances de s'en sortir. On nous arrêtera dans la rue.

– Fiodor, ton pistolet est prêt ?

– Mon pistolet ? Huit balles.

– Bien, vieux, on y va.

Nous descendons l'escalier. Le suisse en livrée ouvre respectueusement tout grand la porte devant nous. Dans la poche de mon manteau, le pistolet, la main sur la détente. A dix pas, nous perçons l'as à coup sûr.

Nous marchons épaule contre épaule. Le sabre traîne en tintant. Je sais que Fiodor est décidé. Moi, je le suis depuis longtemps.

Soudain, Fiodor me pousse du coude. Il murmure précipitamment :

– Regarde, George, regarde.

Au coin se tient un fiacre.

– Monsieur, mon cheval est fringant, monsieur...

– Cinq roubles de pourboire ! Vite !

Le trotteur racé file au grand trot. La boue nous éclabousse. Le ciel est bouché par une résille de pluie. Derrière nous, on entend : « Arrêtez-les ! »

Une épaisse vapeur monte du cheval. Je secoue le cocher par l'épaule :

– Hé, cocher, encore cinq roubles !

Dans le parc, nous sautons dans les buissons. C'est mouillé. Les arbres nous aspergent. La pluie a détrempé toutes les allées. Nous courons à travers les flaques.

– Fiodor, adieu. Pars aujourd'hui même pour Tver.

Son uniforme apparaît entre les buissons verts puis disparaît. A la nuit tombante, je suis revenu à Moscou. Mais je ne rentre pas à l'hôtel. L'affaire a échoué irrémédiablement. Mais que deviennent Vania ? Heinrich ? Erna ?

Sans gîte, j'erre toute la nuit dans Moscou. Le temps fond paresseusement. L'aube est encore loin. Je suis fatigué et transi, j'ai mal aux pieds. Mais dans mon cœur, il y a de l'espoir : mon espérance est avec moi.

14 mai

Aujourd'hui, j'ai envoyé un billet à Elena pour qu'elle vienne. Elle m'a rejoint au jardin Alexandre. Elle a des yeux rayonnants et des boucles noires. Je dis :

– De grandes eaux ne sauraient éteindre l'amour, ni des rivières l'inonder, car l'amour est fort comme la mort. Elena, prononcez un mot et j'abandonne tout. Je quitterai l'action révolutionnaire, j'abandonnerai le terrorisme. Je serai votre serviteur.

Elle me regarde en souriant. Puis, pensive, elle dit :

– Non.

Je me penche à son oreille et murmure :

– Elena... Vous l'aimez ?... Oui ?

Elle se tait.

– Vous ne m'aimez pas, Elena ?

Soudain, d'un mouvement impétueux, elle tend vers moi ses longues et fines mains. Elle m'enserre et chuchote :

– J'aime, j'aime. J'aime.

J'entends ses paroles et je sens son corps. Une joie vivante s'allume en moi et j'articule avec effort :

– Je m'en vais, Elena.

– Où ?

– A Pétersbourg.

Elle pâlit. Je la regarde droit dans les yeux :

– Voilà, Elena. Vous ne m'aimez pas. Vous ne me connaissez pas. Si vous m'aimiez, vous vous feriez du tourment pour moi. Sachez que nous sommes surveillés. Ma vie ne tient qu'à un fil. Peut-être que demain on me pendra. Mais cela m'est égal : vous ne m'aimez pas.

Inquiète, elle reprend :
– J'ai bien entendu ? Vous êtes filés ?
Murmure sec de la brise du soir. Odeur de pluie. Il n'y a
personne dans le jardin. Nous sommes seuls. Je dis à haute
voix :
– Oui, nous sommes filés.
– George, chéri, partez vite, vite...
Je ris :
– ... Et ne revenez plus ?
Elle dit :
– Je vous aime, George.
– Ne vous moquez pas de moi. Comment osez-vous
parler d'amour ? Est-ce de l'amour ? Vous vivez avec
votre mari, je suis pour vous un étranger, et quand même
aimé ?
– Je vous aime, George.
– Vous m'aimez ?... Mais vous êtes avec votre mari,
non ?
– Ah, mon mari... Ne me parlez pas de lui.
– Vous l'aimez ? Oui ?
Mais de nouveau, elle se tait.
Alors, je lui dis :
– Écoutez, Elena, je vous aime et je reviendrai. Et vous
serez mienne. Oui, vous serez mienne.
De nouveau, elle me serre dans ses bras.
– Mon chéri, je suis avec vous, je suis à vous...
– Et à lui ? Oui, et à lui ?
Je m'en vais. Le soir s'éteint. Les réverbères brûlent
avec une lumière jaune. La colère m'étouffe. Je me répète :
à lui et à moi, à moi et à lui. Et à lui, et à lui, et à lui.

15 mai

Un entrefilet dans les journaux de ce jour :

« Au cours de la semaine dernière, les agents de la Sûreté ont découvert les préparatifs d'un attentat contre le gouverneur général de Moscou. Cet attentat devait avoir lieu le 14 de ce mois, à l'issue de l'office divin dans la cathédrale de l'Assomption. Grâce aux mesures prises à temps, la bande criminelle n'a pu mettre à exécution son dessein scélérat, ses membres ont disparu et n'ont pu être arrêtés. Des mesures ont été prises pour les rechercher. »

Ça me fait rire : « Des mesures ont été prises. » Comme si nous n'avions pas pris les nôtres. La victoire n'est pas encore de notre côté, mais est-ce pour autant un échec ? Certes, le gouverneur général est vivant, mais nous aussi. Fiodor, Erna et Heinrich ont déjà quitté Moscou, Vania et moi partons aujourd'hui. Nous reviendrons. Notre parole est loi, et la vengeance nous appartient [1].

Si quelqu'un fait des captifs, il ira en captivité ; si quelqu'un tue par l'épée, il sera tué par l'épée [2]. Ainsi parle le livre de la vie. Nous l'ouvrirons et ôterons le sceau : le gouverneur général sera tué.

---

1. Romains, 12, 19.
2. Apocalypse, 13, 10.

4 juillet

Six semaines se sont écoulées, et je suis de nouveau à Moscou. J'ai passé ce temps dans un vieux domaine seigneurial. Au-delà du portail blanc, le ruban de la route : une grande route verte bordée de jeunes bouleaux. De part et d'autre, des champs jaunes. Le seigle chuchote, l'avoine ploie sous le poids de ses épis barbus. A midi, en pleine chaleur, je m'étends sur la terre molle. Les tiges sont alignées comme une armée, les coquelicots font des taches rouges. Le trèfle et les pois de senteur embaument. Les nuages fondent paresseusement. Un vautour plane lentement dans les airs. Un coup d'aile harmonieux, et il s'immobilise. Et l'univers avec lui : la canicule, et ce petit point noir tout en haut.

Je le suis attentivement du regard. Et me viennent à la mémoire les vers :

… Une brûlante torpeur, comme une brume,
Embrasse toute la nature,
Et dans la grotte des nymphes, paisiblement
Somnole le grand Pan [1].

Mais à Moscou : poussière âcre et puanteur. Des files de charrettes se traînent dans les rues poussiéreuses. Leurs roues roulent lourdement. Les lourds chevaux peinent. Des cabriolets résonnent. Des orgues de Barbarie geignent. Sons des retentissantes sonnettes des tramways à chevaux. Injures et cris.

J'attends la nuit. La nuit, la ville s'endort, la houle humaine s'apaise. Et la nuit, l'espoir de nouveau luira :

Je te donnerai l'étoile du matin.

6 juillet

Je ne suis plus un Anglais. Je suis Frol Semionov Titov, fils d'un négociant en bois de l'Oural. J'habite un mauvais garni, rue Maroseïka, et le dimanche je vais à la messe à l'église de la paroisse de la Trinité-Source de vie. L'œil le plus exercé ne pourrait reconnaître en moi George O'Brien. Le mouchard le plus exercé ne soupçonnerait pas un révolutionnaire.

---

1. Vers de F. Tiouttchev (« Midi », 1829), connu pour sa poésie de la nature.

La table de la chambre est recouverte d'une nappe sale, la chaise est bancale. Sur le rebord de la fenêtre, un pied de géranium fané, au mur les portraits des tsars. Le matin, le samovar qui n'a pas été astiqué chuinte, des portes claquent dans le couloir. Je suis seul dans ma cage. Notre premier insuccès a fait naître en moi de la haine. Le gouverneur général est toujours en vie. Déjà auparavant je souhaitais sa mort, mais maintenant la haine me possède. Ma vie est indissociable de la sienne. Je ne ferme pas les yeux de la nuit : je murmure son nom, et le matin ma première pensée est pour lui. Le voilà, ce vieillard grisonnant avec un pâle sourire sur ses lèvres exsangues. Il nous méprise. Il veut notre mort. Le pouvoir est entre ses mains.

Je hais son palais sculpté, ses armes gravées sur le portail, ses cochers, sa garde, sa voiture, ses chevaux. Je hais ses lunettes dorées, ses yeux d'acier, ses joues hâves, son maintien, sa voix, sa démarche. Je hais ses désirs, ses pensées, ses prières, sa vie oisive, ses enfants bien nourris et proprets. Je hais son être, sa foi en lui-même, sa haine envers nous. Je le hais.

Erna et Heinrich sont déjà arrivés. J'attends Vania et Fiodor. Moscou est calme, on nous a oubliés. Le 15, jour de sa fête, il ira au théâtre. Nous le tuerons sur son chemin.

10 juillet

Andreï Petrovitch est de nouveau venu de Pétersbourg. Je regarde son visage couleur citron, son bouc grisonnant. Embarrassé, il tourne sa cuillère dans son thé.

– Vous avez lu, George, on a dissous la Douma[1].

– Je sais.

– Oui... Adieu la constitution...

Il est cravaté de noir, sa redingote est démodée, sale. Entre les dents, un mauvais cigare.

– George, comment vont les affaires ?

– Quelles affaires ?

– Eh bien... au sujet du gouverneur général.

– Les affaires marchent bien.

– Ça dure depuis bien longtemps... A présent, il faudrait... C'est le bon moment...

– Si cela dure trop, Andreï Petrovitch, dépêchez-vous.

Il est décontenancé, et tambourine des doigts sur la table.

– Écoutez, George.

– Quoi ?

– Le Comité a décidé d'intensifier le terrorisme.

– Quoi ?

– Je dis qu'en raison de la dissolution de la Douma, il a été décidé d'intensifier le terrorisme.

Je garde le silence. Nous sommes installés au Progrès, une gargote malpropre. L'orgue mécanique bourdonne

---

1. La Douma (Parlement) nouvellement élue se réunit pour la première fois le 27 avril 1906 et fut dissoute le 9 juillet. Le parti socialiste-révolutionnaire avait boycotté les élections.

d'une voix enrouée. Les tabliers des garçons blanchoient dans la fumée bleutée.

Andreï Petrovitch poursuit d'une voix affable :

– Dites, George, vous êtes content ?

– Content de quoi, Andreï Petrovitch ?

– Eh bien… de l'intensification.

– De quoi ?

– Mon Dieu… je vous l'ai dit : de l'intensification du terrorisme.

Il se réjouit sincèrement de me faire plaisir. Je ris :

– L'intensification du terrorisme ? Eh bien ? Plaise à Dieu.

– Et vous, qu'en pensez-vous ?

– Moi ? Rien.

– Comment, rien ?

Je me lève.

– Andreï Petrovitch, je me réjouis de la décision du Comité, mais je ne me charge pas d'intensifier le terrorisme.

– Mais pourquoi donc, George ? Pourquoi ?

– Essayez vous-même.

Tout étonné, il écarte ses mains. Elles sont sèches et jaunes, et ses doigts sont boucanés par le tabac.

– George, vous vous moquez ?

– Non.

Je m'en vais. Il va sans doute encore rester longtemps derrière son verre de thé, à résoudre la question : Ne me suis-je pas moqué de lui, et ne m'a-t-il pas vexé ? Et je me dis de nouveau : pauvre vieux, pauvre grand enfant.

11 juillet

Vania et Fiodor sont déjà de retour à Moscou. Nous avons mis au point tous les détails. Le plan reste le même. Dans quatre jours, le 15 juillet, le gouverneur général doit aller au Bolchoï. La recette du spectacle est destinée à la Commission des blessés de guerre. Il ne peut pas ne pas y assister.

A sept heures du soir, Erna me donnera les bombes. Elle les préparera chez elle, à l'hôtel. Les enveloppes et la dynamite sont prêtes. Elle séchera le fulminate de mercure sur un bec à gaz, soudera les tubes de verre, insérera l'amorce. Elle travaille bien. Il n'y a pas d'explosion accidentelle à craindre.

A huit heures, je distribuerai les bombes. Vania se mettra à la porte du Sauveur, Fiodor à la porte de la Trinité, Heinrich à celle du Bois. Nous ne sommes plus filés. J'en suis sûr. Le pouvoir est donc entre nos mains : le glaive tranchant.

Sur ma table, un bouquet de lilas passé. Les feuilles vertes sont flétries, les bouclettes lilas pâle sont fanées. Je cherche une fleur à cinq pétales, qui porte bonheur. Et je suis heureux quand j'en trouve une, car le succès appartient à ceux qui osent.

14 juillet

Je m'en souviens : j'étais dans le Grand Nord, au-delà du cercle polaire, dans un village de pêcheurs norvégiens. Pas d'arbres, ni de buissons, pas même d'herbe. Des rochers nus, un ciel gris, l'océan gris et nébuleux. Les pêcheurs en cirés tirent leurs filets mouillés. Il y a une odeur de poisson et d'huile de foie de morue. Tout m'est étranger. Le ciel, les rochers, l'huile, tous ces hommes, leur langue étrange. Je me perdais. Je devenais étranger à moi-même.

Et aujourd'hui aussi, tout m'est étranger. Je suis au Tivoli, devant la scène en plein air. Un chef d'orchestre chauve agite son archet, les flûtes sifflent tristement. Sur l'estrade bien astiquée, des acrobates en maillot rose pâle. Comme des chats, ils grimpent à des mâts, se précipitent en bas, tournent en l'air, volent à saute-mouton et, taches claires sur l'obscurité de la nuit, ils s'accrochent sans coup férir aux trapèzes. Je regarde d'un œil indifférent leurs corps élastiques et vigoureux. Que suis-je pour eux et que sont-ils pour moi ?... La foule va et vient mornement, les pas crissent sur le sable. Des commis frisés et de gros marchands errent paresseusement dans le jardin. Par ennui, ils boivent de la vodka, par ennui, ils s'injurient, par ennui, ils rient. Des femmes promènent des regards avides.

Le ciel vespéral s'assombrit, les nuages nocturnes s'amoncellent. C'est demain notre jour. Tranchante comme de l'acier, une pensée nette surgit. Celle de l'assassinat. Il n'y a pas d'amour, pas de monde, pas de vie. Il n'y a que la mort. La mort comme couronnement et la mort comme couronne d'épines.

16 juillet

Hier, dès le matin, il faisait lourd. A Sokolniki, les arbres gardaient un morne silence. Un orage menaçait. D'une nuée blanche, un premier coup de tonnerre gronda. Une ombre noire tomba sur la terre. Les cimes des sapins se mirent à gémir, des tourbillons de poussière jaune s'élevèrent. Des gouttes de pluie retentirent sur les feuilles. Timidement, brilla le feu bleuâtre du premier éclair.

A sept heures, je retrouvai Erna. Elle était habillée en bourgeoise : une robe verte et un fichu blanc tricoté. Des boucles rebelles s'échappaient de sous le fichu. Elle portait une grande corbeille pleine de linge.

Les bombes étaient dans cette corbeille. Je les mets avec précaution dans ma serviette. Son poids me fait mal au bras.

Erna soupire.

– Tu es fatiguée ?

– Non, ce n'est rien, Georget... Georget, puis-je aller avec vous ?

– Erna, c'est impossible.

– George, mon chéri...

– Impossible.

Il y a dans ses yeux une timide prière. Je dis :

– Rentre chez toi. A minuit, reviens ici même.

– George...

– Erna, il est temps.

Tout est encore mouillé, les bouleaux frémissent, mais le soleil du soir rougeoie déjà. Erna reste seule sur le banc. Jusqu'à la nuit, elle sera seule.

A huit heures exactes, Vania est posté à la porte du Sauveur, Fiodor à la porte de la Trinité, Heinrich à celle du Bois. Je me promène dans l'enceinte du Kremlin. J'attends que l'on fasse avancer la voiture devant le palais. La lumière de ses lanternes jaillit soudain dans l'obscurité. Les portes vitrées claquent. Une ombre grise apparaît sur l'escalier blanc. Les chevaux noirs contournent le perron au pas puis prennent lentement le trot. Le carillon de la tour chante... Le gouverneur général a déjà atteint la porte du Bois... Je me tiens au pied de la statue d'Alexandre II. Le tsar me domine dans l'obscurité. Les fenêtres du palais du Kremlin sont éclairées. J'attends.

Des minutes passent. Des jours. De longues années. J'attends.

L'obscurité est encore plus dense, la place encore plus noire, les tours plus hautes, le silence plus profond. J'attends.

De nouveau, le chant du carillon.

Je m'en vais lentement vers la porte du Bois. Rue de l'Exaltation de la Croix, je trouve Heinrich. Il a un sarrau bleu sombre et une casquette. Il est sur le pont, immobile. Il tient la bombe dans sa main.

– Heinrich.

– George, c'est vous ?

– Heinrich, il est passé... Le gouverneur général est passé. A côté de vous.

– A côté de moi ?

Il pâlit. Ses pupilles dilatées ont un éclat fiévreux.

– A côté de moi ?

– Où étiez-vous ? Oui, où étiez-vous ?

– Où j'étais ? Ici... Près de la porte...

– Et vous ne l'avez pas vu ?

– Non...

Au-dessus de nous, un bec de gaz blafard. La flamme tremblote régulièrement.

– George.

– Oui ?

– Je ne peux pas... je vais la lâcher... Prenez la bombe... vite...

Je la lui arrache presque des mains. Nous restons sous le réverbère à nous regarder fixement l'un l'autre. L'horloge de la tour sonne pour la troisième fois.

– A demain.

Plein de désespoir, il agite la main.

– A demain.

Je rentre à l'hôtel. Dans le corridor, on entend du bruit, des voix avinées. Le lilas se fane. J'arrache machinalement les feuilles flétries. Je cherche de nouveau la fleur porte-bonheur. Et mes lèvres murmurent d'elles-mêmes :

Mieux vaut un lion mort qu'un chien vivant[1].

---

1. Inversion d'un verset de l'Ecclésiaste, 9, 4 : « Pour tous ceux qui vivent il y a de l'espérance ; et même un chien vivant vaut mieux qu'un lion mort. »

17 juillet

Ému, Heinrich raconte :

– Je suis d'abord resté à la porte même... Une dizaine de minutes... Puis je vois que le sergent de ville m'a remarqué. Je prends la rue de l'Exaltation de la Croix... Je reviens. Je me poste de nouveau. Pas de gouverneur général... Je repars... C'est là, sans doute, qu'il est passé... – il cache son visage dans ses mains : Quelle honte... Quel déshonneur...

De toute la nuit, il n'a pas dormi. Il a sous les yeux des poches bleuâtres et des taches violettes sur les joues.

– George, vous me croyez bien ?

– Je vous crois.

Un silence. Je demande :

– Écoutez, Heinrich, pourquoi vous êtes-vous engagé dans le terrorisme ? A votre place, j'aurais choisi un travail tranquille.

– Je ne peux pas.

– Pourquoi ?

– Ah, pourquoi ?... Le terrorisme est-il ou non nécessaire ? Il est bien nécessaire... Vous le savez : il est nécessaire.

– Et alors ?

– Et alors je ne peux pas ne pas m'engager. Quel droit ai-je de ne pas m'engager ?... On ne peut inciter au terrorisme, en parler, le souhaiter et ne pas agir soi-même... C'est impossible... Hein ?

– Pourquoi, impossible ?

– Ah, pourquoi ?... Bon, je ne sais pas, peut-être que pour d'autres c'est possible... Moi, je ne peux pas...

Il cache de nouveau son visage dans ses mains, de nouveau murmure comme en rêve :

— Mon Dieu, mon Dieu…

Un silence.

— George, dites-moi franchement, avez-vous confiance en moi ou non ?

— J'ai répondu que je vous croyais.

— Et vous me donnerez de nouveau une bombe ?

Je garde le silence.

Il prononce lentement :

— Si, vous m'en donnerez une…

Je garde le silence.

— Oh, alors… Alors…

Il y a de l'effroi dans sa voix. Je dis :

— Rassurez-vous, Heinrich, vous aurez votre bombe.

Et il chuchote :

— Merci.

Chez moi, je m'interroge : Que fait-il dans le terrorisme ? Et à qui la faute ? Serait-ce la mienne ?

18 juillet

Erna se plaint. Elle dit :

— Quand est-ce qu'on verra la fin, George ?… Quand ?…

— La fin de quoi, Erna ?

— Je ne peux pas toujours vivre de meurtre. Je ne peux pas… Il faut en finir. En finir au plus vite…

Nous sommes attablés à quatre dans le cabinet particulier d'un mauvais restaurant. Des prénoms sont gravés sur les glaces ternies, un piano désaccordé trône près de la fenêtre. Derrière la mince cloison, quelqu'un joue le matassin[1].

Il fait chaud, mais Erna est emmitouflée dans son fichu. Fiodor boit une bière. Vania a posé ses bras pâles sur la table et y appuie sa tête. Tous gardent le silence. Enfin, Fiodor crache par terre et dit :

– Qui trop se hâte reste en chemin... Vois, ce diable d'Heinrich : ce retard, c'est sa faute.

Vania lève les yeux :

– Fiodor, tu n'as pas honte ? A quoi bon ?... Heinrich n'est en rien coupable. Nous sommes tous coupables.

– Hum, tous... Pour moi, quand le vin est tiré, il faut le boire...

Un silence. Erna murmure :

– Ah, Seigneur... N'est-ce pas égal, qui a tort et qui a raison... Le principal est d'en finir au plus vite... Je n'en puis plus. Je n'en puis plus.

Vania lui baise tendrement la main.

– Chère Erna, vous souffrez... Et Heinrich ?

Derrière la cloison, le matassin ne cesse pas. Une voix soûle chante les couplets.

– Ah, Vania, qu'importe Heinrich ? Je ne puis plus vivre...

Et Erna éclate en sanglots.

Fiodor s'est renfrogné. Vania s'est tu. Je trouve cela étrange : pourquoi se désespérer et pourquoi avoir besoin de consolation ?

1. Danse burlesque d'origine espagnole *(matachin)*.

20 juillet

Je suis étendu les yeux fermés. Par la fenêtre ouverte monte le bruit de la rue, la lourde respiration de la ville en pierre. Dans mon demi-sommeil, il me semble voir Erna préparer les bombes.

La voilà qui a fermé sa porte à clé : la serrure a claqué sourdement. Elle s'approche lentement de sa table, allume lentement le feu. Sur une plaque de fonte, une poussière gris clair : le fulminate de mercure. De fines langues bleues, dards de serpents, lèchent la plaque. Elle sèche la poudre explosive. Des grains brillent en crépitant. Un poids de plomb glisse dans un tube de verre. Ce poids brisera le tube du détonateur. Alors, l'explosion se produira.

Un de mes camarades a déjà péri à pareille besogne. On a retrouvé son corps, des lambeaux de son corps dans la chambre : des éclaboussures de cervelle, la poitrine ensanglantée, bras et jambes arrachés. On a tout mis en vrac sur une charrette et on l'a transporté au poste de police. Erna court le même risque.

Et si elle sautait ? Si au lieu de ses cheveux de lin et de ses yeux bleus étonnés, il n'y avait plus que de la chair rouge ?... C'est Vania, alors, qui préparerait les bombes. Lui aussi est chimiste. Il saura faire ce travail.

Je rouvre les yeux. Un rayon de soleil est passé à travers les rideaux et brille sur le plancher. Je m'assoupis de nouveau. Et les mêmes pensées reviennent. Pourquoi Heinrich n'a-t-il pas lancé la bombe ? Oui, pourquoi ?... Heinrich n'est pas un poltron. Mais être fautif est pire qu'avoir peur. Ou bien est-ce le hasard ? Sa majesté le hasard ?

Peu importe. Tout m'est égal. Soit, c'est ma faute si Heinrich est dans le terrorisme. Soit, c'est sa faute si le gouverneur général est en vie. Erna peut sauter. Vania et Fiodor peuvent être pendus. Le gouverneur général sera de toute façon tué. Je le veux.

Je me lève. En bas, sur la place, sous ma fenêtre, les gens grouillent comme des fourmis noires. Chacun est occupé, chacun à ses petites occupations quotidiennes. Je les méprise. Et Fiodor, au fond, n'a-t-il pas raison :

« Une bonne bombe là-dedans, y a pas à dire. »

21 juillet

Aujourd'hui, le hasard m'a amené devant la maison d'Elena. Lourde et défraîchie, elle donne sur la place avec une allure morose. Par habitude, je cherche le banc sur le boulevard. Par habitude, je compte le temps. Par habitude, je murmure : Aujourd'hui, je la verrai.

Quand je pense à elle, je revois je ne sais pourquoi une étrange fleur tropicale. Une fleur du soleil ardent, des rochers brûlés. Je vois la feuille dure d'un cactus, les zigzags palmés de ses tiges. Entre les piquants acérés, une fleur à double corolle, d'un rouge pourpre. Comme si une goutte de sang brûlant avait jailli et s'y était figée, telle de la pourpre. Je voyais cette fleur dans un parc luxuriant et étrange du Midi, au milieu des palmiers et des orangers. Je caressais ses feuilles, me déchirais les mains aux épines, je pressais mon visage contre elle et aspirais son parfum épicé et enivrant. La mer étincelait, le soleil brillait au zénith, un enchantement secret était en train de se produire. La fleur rouge m'avait ensorcelé et exténué. Mais je ne veux pas d'Elena à présent. Je ne veux pas penser à elle. Je ne veux pas songer à elle. Je suis tout à ma vengeance. Et je ne me demande plus si cela vaut la peine de se venger.

22 juillet

Le gouverneur général se rend deux fois par semaine, entre trois et cinq, à sa chancellerie de la rue de Tver. Il varie les jours et les itinéraires. Nous surveillons ses sorties, et dans un jour ou deux nous occuperons tous ses chemins. Vania le guettera rue de Tver, Fiodor rue Stolechnikov. Heinrich sera en réserve : il se postera dans une rue plus éloignée, derrière le palais. Cette fois-ci, l'échec est peu probable.

Que ferais-je, si je n'étais pas dans le terrorisme ? Je ne sais pas. Je ne sais pas répondre à cette question. Mais je sais fermement une chose : je ne veux pas de vie paisible.

Les fumeurs d'opium voient des rêves bienheureux, les tentes lumineuses du paradis. Je ne fume pas d'opium et je ne fais pas de rêves bienheureux. Mais que serait ma vie sans le terrorisme ? Sans lutte, sans la conscience allègre que les lois du monde ne sont pas faites pour moi ? Et je peux dire encore : « Lance ta faucille, et moissonne ; car l'heure de moissonner est venue[1]. » L'heure de moissonner ceux qui ne sont pas avec nous.

1. Apocalypse, 14, 15.

25 juillet

Je dis à Fiodor :

– Toi, Fiodor, tu occuperas la rue Stolechnikov, depuis la place jusqu'à la rue Petrovka. Le gouverneur général ira probablement du côté de Vania, mais tiens-toi quand même prêt. Et rappelle-toi : j'ai confiance en toi.

Il a abandonné depuis longtemps son uniforme de dragon et porte maintenant la casquette d'un fonctionnaire du ministère de la Justice. Il est rasé de frais et arbore une moustache retroussée.

– Bon, George, ils vont déguster.

– Tu penses ?

– Sûr. Maintenant, il ne va pas s'en tirer.

Nous sommes à l'autre bout de Moscou, au parc Neskoutchny. Un palais blanc se cache dans d'épais tilleuls. C'est là que naguère encore habitait le gouverneur général.

Fiodor dit pensivement :

– Dans quel luxe ils vivent, les gredins. Bonne chère, bon sommeil... Maudits seigneurs... Bon, ça va. N'oublie pas : fais dire une messe.

– Fiodor...

– Quoi ?

– Si tu passes en jugement, prends un défenseur.

– Un défenseur ?

– Oui.

– C'est-à-dire un avocat ?

– Oui, un avocat.

– Pas besoin d'avocat... Je n'aime pas ces gens-là... Du reste, il n'y aura pas de jugement... Qu'est-ce que tu penses ? Je n'ai pas besoin de cette justice… Ma dernière balle dans la tempe, et tout sera dit.

Et je sais à sa voix qu'il dit vrai : sa dernière balle dans la tempe.

27 juillet

Je pense parfois à Vania, à son amour, à ses paroles pleines de foi. Je n'adhère pas à ces paroles. Pour moi, elles ne sont ni le pain quotidien ni la pierre d'angle. Je ne peux pas comprendre comment on peut croire à l'amour, aimer Dieu, vivre selon l'amour. Et si ce n'était pas Vania qui disait cela, je me moquerais. Mais je ne me moque pas. Vania peut s'appliquer ces vers :

> *Tourmenté de soif spirituelle*
> *J'errais dans un sombre désert*
> *Lorsqu'un séraphin à six ailes*
> *M'apparut soudain dans les airs.*

Et encore :

> *Et de son glaive me perçant*
> *Il extirpa mon cœur fiévreux*
> *Qu'il remplaça entre mes flancs*
> *Par un charbon brûlant de feu* [1].

1. Pouchkine, « Le Prophète » (1826), traduit par J.-M. Bordier, *in* A. Pouchkine, *Œuvres poétiques* (dir. E. Etkind), T. I, L'Age d'Homme, 1981, p. 93. Inspiré d'Isaïe, 6, 6-10.

Vania mourra. Il ne sera plus là. Avec lui s'éteindra aussi « le charbon brûlant de feu ». Mais je me demande : quelle différence y a-t-il entre lui et, mettons, Fiodor ? Tous les deux vont tuer. Tous les deux seront pendus. Tous les deux seront oubliés. La différence n'est pas dans les actes mais dans les paroles.

Et quand j'y pense, je ris.

29 juillet

Erna me dit :

– Tu ne m'aimes pas du tout… Tu m'as oubliée… Je te suis étrangère.

Je réponds à contrecœur :

– Oui, tu m'es étrangère.

– George…

– Quoi, Erna ?

– Ne parle pas ainsi, George.

Elle ne pleure pas. Aujourd'hui, elle est calme. Je dis :

– A quoi penses-tu, Erna ? Est-ce le moment ? Regarde : les échecs se suivent.

Elle répète tout bas :

– Oui, les échecs se suivent.

– Et tu veux de l'amour ? En moi, à présent, il n'y a pas d'amour.

– Tu en aimes une autre ?

– Peut-être.

– Non, dis-le moi.

– Je te l'ai dit depuis longtemps : oui, j'en aime une autre.

Elle se tend vers moi de tout son corps :

– Peu importe. Aime qui tu veux. Je ne peux pas vivre sans toi. Je t'aimerai toujours.

Je regarde dans ses yeux bleus, attristés.

– Erna.

– George, mon chéri...

– Erna, mieux vaut s'en aller.

Elle m'embrasse :

– George, tu sais que je ne veux rien, que je ne demande rien. Sois seulement quelquefois avec moi.

La nuit tombe doucement sur nous.

31 juillet

J'ai dit que je ne voulais pas évoquer le souvenir d'Elena. Et cependant mes pensées sont avec elle. Je ne peux pas oublier ses yeux : la lumière de midi y brille. Je ne peux pas oublier ses mains, ses doigts effilés, d'un rose translucide. L'âme humaine est dans les yeux et dans les mains. Peut-il y avoir une âme difforme dans un beau corps ?... Peu importe qu'elle ne soit pas fière et joyeuse, mais esclave. Qu'est-ce que cela fait ? Je la veux, il n'y a pas mieux qu'elle, ni plus joyeuse ni plus forte. Sa beauté et sa force sont dans mon amour.

Il y a des soirs d'été nébuleux. De la terre saturée de rosée s'élève une brume trouble, laiteuse. Les buissons fondent dans ses ondes tièdes, les contours flous de la forêt s'y noient. Les étoiles scintillent faiblement. L'air est lourd et moite, avec une odeur de foin. Par ces nuits-là, l'esprit des prés plane silencieusement au-dessus des marais. Il jette des sortilèges.

Je suis de nouveau ensorcelé : que m'est Elena, sa vie insouciante, son mari officier, son avenir d'épouse et de mère ? Et cependant, je suis rivé à elle par une chaîne de fer. Et je n'ai pas la force de briser cette chaîne. Et est-ce bien nécessaire de la briser ?

3 août

Demain, c'est de nouveau notre jour. Erna préparera de nouveau les bombes. Fiodor, Vania et Heinrich occuperont de nouveau leurs postes. Je ne veux pas penser à demain. Je dirais presque : je crains d'y penser. Mais je l'attends et j'y crois.

5 août

Voici ce qui s'est passé hier :

A deux heures, j'ai pris les bombes chez Erna. Nous nous sommes quittés rue de Tver, et sur le boulevard j'ai retrouvé Heinrich, Vania et Fiodor. Fiodor s'est posté dans la rue Stolechnikov, Vania dans la rue de Tver, Heinrich dans une ruelle éloignée.

Je suis entré dans le salon de thé Filippov, j'ai commandé un thé et me suis assis près de la fenêtre. L'air était étouffant. Les roues résonnaient sur le pavé, l'air tremblait sur les toits de zinc brûlants. L'attente ne fut pas longue, peut-être cinq minutes. Je me souviens : soudain, parmi les sonorités de la rue éclata un bruit lourd, plein, surprenant. Comme si quelqu'un avait donné un terrible coup de masse sur une plaque de fonte. Et tout de suite les vitres volèrent en éclats avec un bruit plaintif. Puis ce fut le silence. Dehors, la foule se précipitait vers la rue Stolechnikov. Un garçon déguenillé criait quelque chose. Une paysanne qui portait une corbeille levait le poing et proférait des injures. Des concierges sortaient en courant des portes cochères. Des cosaques arrivèrent au galop. Quelqu'un dit : « Le gouverneur général est tué. »

Je me frayai avec peine un chemin à travers la foule. Dans la rue, les gens se pressaient comme les abeilles d'un essaim. Il y avait encore une odeur épaisse de fumée. Le pavé était couvert d'éclats de verre, de débris de roues noires. Je compris que la voiture avait été détruite. Devant moi, me barrant le passage, se tenait un grand ouvrier en chemise bleue. Il agitait ses bras osseux et parlait avec ardeur et volubilité. Je voulais le repousser pour voir la voiture de près mais soudain, sur la droite, dans une autre rue traversière, retentirent des coups de pistolet, saccadés et secs. Je me précipitai vers ce bruit. Je savais que c'était Fiodor qui tirait. La foule me serrait, me comprimait dans une étreinte molle. Les coups retentirent de nouveau, déjà plus loin, plus espacés et plus sourds. Puis le silence reprit ses droits. L'ouvrier se tourna vers moi :

– Ça tire, hein ?

Je le saisis par le bras et le repoussai violemment. Mais la foule se referma encore plus étroitement devant moi. Je voyais des nuques, des barbes, de larges dos. Et soudain, j'entendis ces mots :

– Le gouverneur général est vivant...

– On les a arrêtés ?

– Pas que je sache...

– On les arrêtera, pour sûr...

– Ouais... Y en a beaucoup, à présent, de ces...

Je rentrai tard chez moi. Je ne me souvenais que d'une chose : le gouverneur général était vivant.

6 août

Lu dans la presse aujourd'hui :

« Hier, un attentat criminel a été commis contre le gouverneur général. Le gouverneur général avait quitté à trois heures le palais du Kremlin pour se rendre à sa chancellerie, située place de Tver. L'adjudant de Son Excellence, le colonel prince Iachwill, qui établit d'ordinaire l'itinéraire, l'avait communiqué au préfet : porte du Sauveur, place Rouge puis rues Petrovka et Stolechnikov jusqu'à la résidence du gouverneur général. Au moment où les chevaux prenaient la rue Stolechnikov, un homme portant l'uniforme des fonctionnaires du ministère de la Justice est descendu sur la chaussée. Il tenait dans une main une boîte nouée d'un ruban, à la manière d'une boîte de bonbons. S'étant approché de l'attelage, il a pris la boîte de ses deux mains et l'a lancée sous les roues. Une explosion assourdissante a retenti. Par bonheur, le gouverneur général est sain et sauf. S'étant relevé de terre sans le secours de personne, il s'est dirigé vers l'entrée de la maison du marchand Solomonov, où il est resté jusqu'à l'arrivée d'une escorte mandée par téléphone. L'adjudant (le prince Iachwill) a été projeté à gauche de la rue. Il avait des blessures au visage, les deux jambes brisées et des lésions aux deux bras. Il est décédé sur place. Le cocher du gouverneur général, le paysan Andreïev, a été grièvement blessé à la tête. Il est décédé à son arrivée à l'hôpital. Son attentat commis, le criminel a pris la fuite. L'agent de police Ivan Fedorenko et l'agent de la Sûreté Ignace Tkatch se sont lancés à sa poursuite. Le criminel les a tués tous les deux tirant deux balles en courant. Débouchant sur la rue Petrovka, il a voulu fuir dans la direction du boulevard de la Passion. L'agent de ville Ivan Klimov qui était en faction tenta de l'arrêter, mais fut grièvement blessé par une balle dans la région de l'abdomen. Rue Petrovka, le criminel sauta dans un cabriolet et sous la menace de son pistolet obligea le cocher à le mener jusqu'aux allées Petrovski, qu'il descendit en courant. Là, il fut de nouveau intercepté par le lieutenant-colonel Orbéliani, commissaire de police du premier arrondissement, et par les gardiens des immeubles nos 16, 18 et 20 de la rue Petrovka. Après avoir tué de deux coups de pistolet deux des gardiens susdits, le criminel s'est caché dans la cour de l'immeuble n° 3 des allées Petrovski. L'immeuble a été immédiatement encerclé par des détachements de la police à pied et à cheval et par la 23e Compagnie du Régiment de grenadiers appelée par téléphone. La fouille de l'immeuble a permis de découvrir le criminel dans un renfoncement de la cour, derrière un tas de bois. A la sommation de se rendre, il répondit par des coups de feu, qui tuèrent raide le lieutenant-colonel Orbéliani. Alors, sur l'ordre du préfet arrivé sur les lieux, un feu roulant fut ouvert en direction du criminel. Caché derrière des bûches, il répondit par des tirs de pistolet qui blessèrent légèrement deux soldats, Velentchouk et Semionov, et tuèrent le sous-officier Ivan Edynak. Quand le feu cessa, les grenadiers découvrirent derrière les bûches le corps du criminel avec quatre blessures par balles, dont deux ont certainement été mortelles. Le criminel est un jeune homme d'environ vingt-six ans, brun, de haute taille et de complexion robuste. Aucun document n'a été trouvé sur lui. Il avait dans ses poches deux pistolets de type browning et une boîte de cartouches.

« Des mesures ont été prises pour l'identifier. L'enquête a été confiée à un enquêteur chargé des dossiers exceptionnels. »

7 août

Je suis à plat ventre sur mon lit, la tête dans des oreillers brûlants. Le jour se lève. L'aurore commence à poindre.

Voilà de nouveau un échec. Pire qu'un échec : un malheur. Nous sommes battus à plate couture. Fiodor a fait tout ce qu'il a pu, bien sûr. Il n'a pas manqué la voiture. Il a lancé la bombe. Elle a explosé.

Je ne regrette pas Fiodor, je ne regrette même pas de
ne pas avoir réussi à le défendre. Bon, j'aurais tué cinq
policiers et concierges. Est-ce ce que je désire ?... Ce que
je regrette, c'est de n'avoir pas su que le gouverneur général était à deux pas de moi, dans l'entrée de la maison. Je
l'aurais attendu. Je l'aurais tué.

Nous ne quitterons pas la ville. Nous ne capitulerons
pas. S'il est impossible de le tuer dans la rue, nous irons
dans son palais. Nous ferons sauter le palais, lui et nous
avec, et tous ceux qui seront avec lui. Maintenant, il est
tranquille : il célèbre sa victoire. Pas de souci, pas de
peur. Son règne est solide, le pouvoir est ferme... Mais
notre heure sonnera bien, l'heure du jugement. Et alors,
tout s'accomplira.

8 août

Heinrich me dit :

— George, tout est perdu.

Le sang me monte aux joues.

— Taisez-vous.

Effrayé, il recule d'un pas.

— George, qu'avez-vous ?

— Taisez-vous. Quelle absurdité ! Rien n'est perdu.
N'avez-vous pas honte ?

— Et Fiodor ?

— Quoi, Fiodor ? Fiodor a été tué...

— Ah, George... Mais c'est... Mais c'est...

— C'est quoi ?...

– Non… Songez un peu… Non… Mais il me semblait…
Que fait-on, maintenant ?

– Comment ça, *maintenant* ?

– La police nous recherche.

– La police cherche toujours.

Il bruine. Le ciel morne pleure. Heinrich est trempé et
l'eau ruisselle de son chapeau usagé. Il a maigri, il a des
poches sous les yeux.

– George.

– Quoi ?

– Croyez-moi… Je… je veux seulement dire… Nous
sommes deux : Vania et moi… Deux, c'est trop peu.

– Nous sommes trois.

– Qui est le troisième ?

– Moi. Vous m'avez oublié.

– Vous prendrez une bombe ?

– Bien sûr.

Un silence.

– George, dans la rue, c'est difficile.

– Qu'est-ce qui est difficile ?

– Dans la rue, c'est difficile de tuer.

– Nous irons dans le palais.

– Dans le palais ?

– Oui. Qu'est-ce qui vous étonne ?

– Vous avez bon espoir, George ?

– Plus qu'un espoir… Vous devriez avoir honte, Heinrich.

Confus, il me serre la main.

– George, pardonnez-moi…

– Bien sûr… Mais rappelez-vous : Fiodor tué, c'est à
notre tour. Vous entendez ? Oui ?

Ému, il murmure :

– Oui...

En ce moment, je regrette que Fiodor ne soit pas avec moi.

9 août

J'ai oublié d'allumer les chandelles. Ma chambre est dans une demi-obscurité grise. Dans un coin, la silhouette floue d'Erna.

Après l'explosion, je lui ai donné les autres bombes et je ne l'avais pas revue depuis. Aujourd'hui, elle s'est glissée furtivement chez moi et garde le silence. Elle ne fume même pas.

– George...

– Quoi, Erna ?

– C'est moi... c'est moi qui suis coupable...

– Coupable de quoi ?

– Qu'il soit vivant.

Sa voix est sourde, et aujourd'hui sans larmes.

– Tu es coupable ?

– Oui.

– De quoi ?

– C'est moi qui ai fabriqué la bombe.

– Ah, ce n'est rien... Ne t'en fais pas, Erna.

– Si, c'est moi, c'est moi, c'est moi...

Je la prends par la main.

– Erna, tu n'y es pour rien. Je te l'affirme.

– Non ? Et Fiodor ?

– Quoi, Fiodor ?

– Peut-être qu'il serait en vie…

– Erna, ça ne rime à rien…

Elle se lève, fait deux pas. Puis se rassoit lourdement.
Je dis :

– Heinrich a recommandé de laisser tomber.

– Qui a dit ça ?

– Heinrich.

– Comment, laisser tomber ? Pourquoi ?

– Demande-lui, Erna.

– George, est-ce vrai qu'il faut laisser tomber ?

– Tu le penses aussi ? Oui ?

– Non. Mais dis-moi.

– Bien sûr que non. Nous le tuerons, bien sûr. Et tu
prépareras de nouveau des bombes.

Anxieuse, elle demande :

– Et qui est le troisième ?

– Moi, Erna.

– Toi ?

– Oui, moi.

Elle baisse la tête, se blottit contre la fenêtre. Regarde
la place obscure. Puis soudain se lève vivement, vient à
moi. M'embrasse ardemment les lèvres.

– George, mon chéri… Nous mourrons ensemble, n'est-ce
pas ?… George ?

La nuit retombe, silencieuse.

11 août

Il n'y a que deux voies devant nous : attendre quelques jours et le guetter de nouveau sur son passage, ou aller dans le palais. Je sais que l'on nous recherche. Il nous est difficile de passer encore une semaine à Moscou, encore plus difficile de nous poster aux mêmes endroits. Mettons que je me mette à la place de Fiodor, que Vania se tienne de nouveau rue de Tver, et Heinrich de nouveau en réserve. La police est maintenant aux aguets. Les rues sont parsemées de mouchards. Ils nous épient. S'ils nous soupçonnent d'avoir une bombe, ils nous encercleront à notre insu et nous appréhenderont en moins de deux. Et puis le gouverneur général suivra-t-il le même chemin ? Il lui est bien facile de faire un détour : sortir par le haut de la rue de Tver, du côté du monastère de la Passion... Et si nous pénétrons dans le palais ? Il faut se ceinturer de dynamite, revêtir une cuirasse invisible, il faut pénétrer sous le porche et savoir se faire sauter. Moi, bien sûr, je n'ai pas pitié de ceux qui périront : la famille, la suite, les mouchards, l'escorte. Mais il est dangereux de prendre ce risque. Le palais est vaste, il y a beaucoup de pièces. Si au moment de l'explosion il se trouve dans les appartements intérieurs ou dans le parc ? Il est clair que nous ne sommes pas en mesure de l'approcher... L'explosion de Khaltourine avait été bien conçue et fut cependant un échec[1]. J'hésite. Je pèse tous les pour et les contre. Je ne sais pas s'il faut aller au

---

1. En 1880, S. Khaltourine (1857-1882) avait fait sauter la salle à manger du palais d'Hiver, résidence du tsar.

palais. Difficile de se décider, mais il le faut. Difficile de savoir, et encore plus d'y voir clair.

13 août

Vania est un *monsieur* : chapeau mou, cravate claire, veste grise. Il a toujours ses cheveux bouclés, ses yeux pensifs brillent. Il dit :

– Ça fait peine pour Fiodor, Georget.

– Oui, c'est dommage.

Il sourit tristement :

– Ce n'est pas Fiodor que tu regrettes.

– Comment donc, pas Fiodor, Vania ?

– Tu penses en fait : « J'ai perdu un camarade. » C'est bien ça ? Dis-moi ?

– Bien sûr.

– Tu penses : « Il y avait sur terre un révolutionnaire, un vrai révolutionnaire, intrépide... Et maintenant, il n'est plus. » – et tu penses encore : « C'est difficile, comment faire sans lui ? »

– Bien sûr.

– Tu vois bien... tu as oublié Fiodor. Ce n'est pas Fiodor que tu regrettes.

Un orchestre militaire joue sur le boulevard. C'est dimanche. Des artisans en chemises rouges se promènent en jouant de l'accordéon. Les gens parlent et rient.

Vania poursuit :

– Écoute, je pense tout le temps à Fiodor. Pour moi, tu vois, ce n'est pas seulement un camarade, pas seulement un révolutionnaire... Tu imagines ce qu'il a ressenti, là-bas, derrière les bûches ? Il tirait et savait – savait par chaque goutte de son sang qu'il allait mourir. Combien de temps a-t-il vu la mort de ses yeux ? Georget, ce n'est pas ça. Ce n'est pas ce que je veux dire. Bien sûr, il n'a pas eu peur... Mais connais-tu son tourment ? Son tourment quand il se débattait, blessé. Quand sa vue s'obscurcissait et que sa vie s'éteignait ? Tu n'as pas pensé à cela ?

Je réponds :

– Non, Vania, je n'y ai pas pensé.

Il murmure :

– Donc, lui non plus, tu ne l'aimais pas...

Je dis alors :

– Fiodor est mort... Dis-moi plutôt : Devons-nous aller dans le palais ?

– Aller dans le palais ?

– Oui.

– Comment ça ?

– Faire sauter tout le palais.

– Et les autres ?

– Quels autres ?

– Sa famille, ses enfants.

– Voilà à quoi tu penses... Ce sont des bagatelles : ils n'ont que ce qu'ils méritent...

Vania se tait un instant.

– George.

– Quoi ?

– Je ne suis pas d'accord.

– Sur quel point ?

– Aller dans le palais.

– En voilà une idée!... Pourquoi?

– Je ne suis pas d'accord pour tuer des enfants – puis il ajoute, tout ému : Non, George, écoute-moi, ne fais pas cela, non. Comment peux-tu prendre cela sur toi? Qui t'en a donné le droit? Qui te l'a permis?

Je réplique froidement :

– C'est moi qui me le permets.

– Toi?

– Oui, moi.

Il frissonne de tout son corps.

– George, les enfants...

– Peu importe.

– George, et le Christ?

– Que vient faire le Christ ici?

– George, rappelle-toi : « Je suis venu au nom de mon Père, et vous ne me recevez pas; si un autre vient en son propre nom, vous le recevrez [1]. »

– A quoi bon des citations, Vania?

Il secoue la tête :

– Oui, à quoi bon...

Nous gardons tous deux longtemps le silence. Enfin, je dis :

– Bon, d'accord... Nous l'attendrons dans la rue.

Un sourire illumine son visage. Je lui demande alors :

– Tu penses peut-être que c'est à cause des citations?

– Non, George, non.

– J'ai pensé qu'il y aurait ainsi moins de risques.

1. Jean, 5, 43.

– C'est sûr, qu'il y en aura moins, c'est sûr... Et tu verras : nous réussirons. Le Seigneur exaucera nos prières.
Je m'en vais, dépité : Ne serait-ce quand même pas
mieux dans le palais ?

15 août

Mes pensées sont de nouveau pour Elena. Je me
demande qui elle est. Pourquoi ne me cherche-t-elle pas ?
Pourquoi vit-elle sans se soucier de moi ? Elle ne m'aime
donc pas. Elle m'a donc oublié. En m'embrassant, elle
mentait donc. Mais de pareils yeux ne mentent pas.
Je ne sais pas. Je ne veux rien savoir. J'ai vu la joie de
son amour, j'ai entendu ses paroles de bonheur. Je la
veux, et j'irai la prendre. Peut-être même que ce n'est pas
de l'amour ? Peut-être que demain ses yeux s'éteindront
et que son rire que j'adore aujourd'hui m'assommera.
Aujourd'hui, je l'aime et peu m'importe demain. Je la
vois devant moi comme si elle était présente : avec ses
nattes noires, le strict ovale de son visage, la timide rougeur de ses joues. Je l'appelle, je me répète son nom. Or
c'est bientôt notre dernier jour, inéluctable...
La reverrai-je un jour ?

17 août

Demain, nous attendrons de nouveau le gouverneur
général sur son chemin. Si je le pouvais, je prierais.

18 août

Pour la troisième fois, Erna a préparé les bombes dans sa chambre. A trois heures juste, nous sommes à nos postes. J'ai une bombe dans les mains. A chacun de mes pas, le détonateur fait un bruit cadencé dans la boîte. Je l'ai enveloppée dans un papier et ficelée avec un fin ruban. On dirait que je sors d'un magasin avec une emplette.

Je descends la rue Stolechnikov sur le trottoir de gauche. Dans l'air tiède, on sent l'automne. Ce matin, j'ai remarqué que les bouleaux avaient déjà des feuilles jaunes. De lourds nuages se traînent dans le ciel. Il tombe quelques gouttes espacées.

Je porte ma bombe avec précaution. Si par hasard quelqu'un me heurtait, le détonateur exploserait. Sur les trottoirs et aux coins des rues, il y a beaucoup d'agents en civil. Je fais mine de ne pas les voir.

Je m'en retourne sur mes pas. Alentour, tout est calme. Les agents suivent paresseusement les passants des yeux. Je crains que le gouverneur général n'arrive à ma hauteur juste maintenant. Il serait difficile de lancer la bombe : je ne saurais reconnaître sa voiture, je ne saurais préparer mon coup. Je tâte l'un de mes pistolets. J'en ai deux, comme Fiodor. Un browning, et un autre plus grand, un naguan de cavalerie[1]. Je les ai nettoyés hier soir, et soigneusement chargés.

J'erre ainsi une demi-heure. Quand, pour la troisième

---

1. Le naguan (du nom de son fabricant belge) est un revolver à barillet.

fois, j'arrive au coin de la place de Tver, là où il y a une guérite en bois avec une horloge, je vois s'élever de terre, près de la Maison Varguine, une mince volute de fumée gris-jaune, presque noire sur les bords. Elle s'élargit en entonnoir et inonde toute la rue. Au même instant, un bruit sourd, un bruit de fonte, étrange, familier pour moi. Le cheval du fiacre stationné au coin se cabre. Devant moi, une dame en grand chapeau noir pousse un gémissement et s'affaisse sur le trottoir. Un agent de ville reste une seconde immobile, blême, et se précipite vers la place de Tver.

Je cours vers la Maison Varguine. Bruit des vitres brisées. De nouveau, l'odeur de fumée. J'oublie que j'ai une bombe, et le bruit cadencé du détonateur s'accélère. J'entends des gémissements et des cris, je sais déjà, je le sais d'une façon sûre :

Le gouverneur général est tué...

Une heure plus tard, on vend des feuilles volantes : un télégramme bordé de noir, avec une croix. Sous la croix, un portrait, sous le portrait, une nécrologie.

Je tiens la feuille, ma vue s'obscurcit.

20 août

De sa prison, Vania a pu me faire remettre cette lettre :

« Malgré mon désir, je n'ai pas été tué en lançant ma bombe. Je l'ai lancée à une distance de trois pas, à toute volée, droit dans la fenêtre de la voiture. Je voyais le visage du gouverneur général. En m'apercevant, il s'est rejeté en arrière et a levé les bras, comme pour se protéger. J'ai vu la voiture se briser. J'ai senti un souffle de fumée et de débris. Je suis tombé à terre. Je me suis relevé et j'ai regardé autour de moi. A quatre ou cinq pas gisaient des lambeaux de vêtements et tout à côté, un corps ensanglanté. Je n'étais pas blessé, bien que du sang coulât de mon visage et que les manches de ma veste fussent brûlées. Je m'en allai. A ce moment, des mains me saisirent fermement par-derrière. Je ne fis pas de résistance. On m'emmena au poste de police.

« J'ai accompli mon devoir, mon devoir de révolutionnaire. J'attends le jugement et accepterai tranquillement le verdict. Je pense que même si je m'étais enfui, je n'aurais pas pu vivre après ce que j'ai fait.

« Je vous serre dans mes bras, mes chers amis et camarades. De tout cœur, je vous remercie pour votre amour et votre amitié. Je crois en la révolution à venir et je meurs avec la fière conscience de son succès triomphal.

« En vous disant adieu, je voudrais vous rappeler ces simples paroles : "Nous avons connu l'amour, en ce qu'il a donné son âme pour nous ; nous aussi, nous devons donner notre âme pour nos frères [1]." »

---

1. Épitre I, Jean, 3, 16.

Il y avait un post-scriptum à part, pour moi. Vania écrivait :

« Il peut te sembler étrange que j'aie décidé de tuer, c'est-à-dire de commettre le plus grave des péchés contre les hommes et contre Dieu, alors que je parlais d'amour.

« Je ne pouvais pas ne pas tuer. Si j'avais eu la foi pure et innocente des apôtres, je ne serais pas, bien sûr, dans le terrorisme. Je crois que c'est l'amour, et non le glaive qui sauvera le monde, de même que c'est l'amour qui l'organisera. Mais je n'avais pas en moi les forces de vivre au nom de l'amour, et j'ai compris que je pouvais et devais mourir au nom de l'amour.

« Mon acte ne m'inspire ni remords ni joie. Le sang me tourmente, et je sais que la mort n'est pas l'expiation. Mais je sais aussi : "Je suis le Chemin, la Vérité, et la Vie [1]."

« Les hommes me jugeront, et je les plains d'avoir à répandre mon sang. A côté de leur jugement, il y aura, je le crois, le jugement de Dieu. Mon péché est incommensurablement grand, mais la miséricorde de Dieu est infinie.

« Je t'embrasse. Sois heureux, heureux par la vérité et les actes. Et souviens-toi : "Celui qui n'aime pas n'a pas connu Dieu, car Dieu est amour [2]."»

---

1. Jean, 14, 6.
2. Épitre I, Jean, 4, 8.

Je lis et relis ces feuilles de papier à cigarette, en me demandant : Peut-être Vania a-t-il raison ? Non, aujourd'hui, le soleil est chaud et clair, dans le parc de Sokolniki les feuilles tombent en frémissant... J'erre dans les allées familières, et en moi brûle une grande et vive joie. Je cueille des fleurs d'automne, je respire leur arôme fugitif, je baise leurs pâles pétales. Les paroles prophétiques résonnent comme la fête lumineuse, la solennelle résurrection : « Et il sortit du temple, du trône, une voix forte qui disait : "C'en est fait [1] !" »

Je suis heureux : oui, c'en est fait.

1. Apocalypse, 16, 17.

22 août

Je continue à me cacher à Moscou, faute de pouvoir partir. Toute la police est sur les dents : on nous recherche sans relâche. J'ai quitté mon hôtel et changé de masque, pour la troisième fois. Je ne suis plus Frol Semionov Titov ni l'Anglais O'Brien. Je vis invisible, sans nom et sans toit. Le jour, j'erre dans Moscou, la nuit, je me cherche un gîte : aujourd'hui à l'hôtel, demain dans la rue, après-demain chez des inconnus, des marchands, des fonctionnaires, des popes. Parfois, je me réjouis méchamment de voir la peur sur le visage de mes hôtes, et une timide estime pour moi.

L'automne déjà tombe. Le vieux parc brille de tous ses ors, les feuilles bruissent sous les pieds. A l'aube, sur les flaques d'eau, une mince vitre de glace fragile brille au soleil.

J'aime la tristesse de l'automne. Je m'assieds sur un banc de Sokolniki, j'écoute la forêt. Une douce tranquillité m'enveloppe. Et il me semble qu'il n'y a ni mort ni sang. Il n'y a que la terre, sainte pour tous, et au-dessus d'elle, le ciel sacré.

L'endroit où Vania a tué est entouré d'une grille. Derrière la grille, des croix et des icônes. Les gens pressent le pas. Rares sont les passants qui s'arrêtent, ou une paysanne qui se signe. Un officier salue négligemment. On a déjà oublié l'attentat. Seule la police s'en souvient – et nous, bien sûr. Vania passera en jugement. Il y aura des discours, des silences, le verdict sera rendu, on le pendra.

C'est ainsi que s'éteindra sa vie.

23 août

J'ai envoyé un billet à Elena pour lui demander de venir. Dès qu'elle est entrée, la joie et le calme m'ont envahi. Comme s'il n'y avait pas eu de longs jours d'inquiétude et d'attente, comme si je n'avais pas vécu pour la vengeance en préparant froidement l'assassinat. C'est encore la joie et le calme des soirées d'été, lorsque les étoiles s'allument et que l'odeur des fleurs, chaude et épicée, emplit le parc.

Elena porte une robe blanche. Elle respire la fraîcheur et la santé. Elle a vingt ans. Ses yeux ne rient pas. Pudiquement, elle demande :

– Vous étiez à Moscou, tout ce temps ?

– Oui, bien sûr, j'étais ici.

– Alors, vous…

– Qu'est-ce que je ?…

– Alors, c'est vous qui ?…

Et elle baisse les yeux.

J'ai envie de la serrer dans mes bras, de la porter, de l'embrasser comme une enfant. A présent, en la voyant, avec ses yeux rayonnants, je sais : j'aime son rire enfantin, la beauté naïve de sa vie. Et j'écoute avec transport sa voix :

— Mon Dieu, vous n'imaginez pas comme j'ai craint... Quand cela a eu lieu, je savais déjà que c'était vous... que vous aviez vaincu... – puis, murmurant : C'est épouvantable...

Et alors, je pense ceci : tandis que je vivais de la pensée d'elle, elle ne pensait pas à moi, ne se tourmentait pas pour moi. Elle pensait au terrorisme, pensait que je tuais. Oui, bien sûr, je tue... Et je dis tout haut :

— Oui, c'est notre travail.

Elle rougit. Et soudain, comme naguère, elle pose doucement et tendrement ses mains sur mes épaules. Son souffle me brûle le visage. Et nos lèvres se joignent douloureusement, dans une sensation inconnue.

Je reviens à moi. Elle est assise dans le fauteuil. Son baiser est encore sur mes lèvres, elle est à la fois si proche et si lointaine.

— George, mon chéri, mon bien-aimé, ne soyez pas triste.

Pudiquement mais avec ardeur, elle se tend de tout son corps vers moi.

Je l'embrasse. J'embrasse ses cheveux et ses yeux, ses doigts pâles, ses lèvres chéries. Je ne pense à rien. Je ne sais qu'une chose : elle est dans mes bras, et son jeune corps frémit.

Par la fenêtre, le couchant se meurt. Un rayon rouge

d'adieu erre au plafond. Elle repose dans mes bras, toute blanche, et déjà il n'y a plus l'après-ivresse du sang versé. Il n'y a rien.

24 août

Erna part aujourd'hui. Elle a maigri et s'est fanée d'un coup. Le vermeil de ses joues s'est éteint, seules ses boucles tombent toujours, impuissantes, comme si elles demandaient grâce. Nous nous quittons pour longtemps. Elle est debout devant moi, frêle et triste. Ses cils baissés tremblent. Elle parle bas :

– Eh bien, Georget, c'est fini.

– Tu es contente ?

– Et toi ?

Je veux lui dire que je suis content et fier ; mais aujourd'hui je ne ressens pas d'allégresse. Je me tais, l'air morne.

Elle soupire. Sous la dentelle de sa robe, sa poitrine est agitée d'amples mouvements impétueux, signes de quelque chose à me demander ; elle est émue et n'ose pas. Je dis :

– A quelle heure est le train ?

Elle frissonne :

– A neuf heures.

Je regarde ma montre d'un air indifférent :

– Erna, tu es en retard.

– George…

Elle n'arrive pas à se décider. Je le sais, elle veut parler d'amour, implorer ma sympathie. Mais en moi il n'y a pas d'amour, et je ne puis lui être d'aucun secours.

– George, est-ce possible ?

– Qu'est-ce qui est possible ?

– Que nous nous séparions ?

– Ah, Erna, ce n'est pas pour toujours.

– Si, pour toujours.

Sa voix est à peine perceptible. Je lui dis à haute voix :

– Erna, tu es fatiguée. Repose-toi et oublie.

Un murmure me parvient :

– Je n'oublierai jamais.

A cet instant, je vois ses yeux rougis laisser couler comme d'une source des larmes abondantes. Elle secoue la tête sans élégance. Ses boucles, trempées par les pleurs, pendent pitoyablement sur son cou. Elle sanglote et murmure indistinctement, avalant les syllabes :

– George, mon chéri, ne me quitte pas... Mon soleil, ne pars pas...

Le souvenir d'Elena surgit. J'entends son rire radieux et sonore, je vois ses yeux rayonnants. Je dis froidement à Erna :

– Ne pleure pas.

Elle se tait immédiatement. Essuie ses larmes, regarde par la fenêtre. Puis se lève, et chancelante s'approche de moi.

– Adieu, George. Adieu.

Je répète comme un écho :

– Adieu.

La voilà devant la porte ouverte, à attendre. Elle continue à murmurer, le cœur gros :

– George, tu viendras, n'est-ce pas ?... George ?...

28 août

Erna est partie. A part moi, à Moscou, il reste encore Heinrich. Il rejoindra Erna. Je sais : il l'aime, et bien sûr il croit à l'amour. J'en suis amusé et dépité.

Je me souviens : j'étais en prison et j'attendais la mort. La prison était humide et sale. Le corridor puait le gros tabac, la soupe aux choux des soldats. Une sentinelle allait et venait sous la fenêtre. Parfois à travers le mur parvenaient des bribes de conversation, des bouts de vie. C'était étrange : derrière la fenêtre, la mer, le soleil, la vie, ici – la solitude et la mort inévitable... Le jour, j'étais allongé sur mon lit de fer, je lisais des revues de l'année précédente. Le soir, la lampe jetait une lueur terne. Je montais furtivement sur la table, m'accrochais aux barreaux de la fenêtre. Je voyais le ciel noir, les étoiles du sud. Vénus resplendissait. Je me disais : j'ai encore beaucoup de jours devant moi, le matin se lèvera encore, le jour viendra, puis la nuit. Je verrai le soleil, j'entendrai des voix humaines. Je n'arrivais pas à croire à la mort. La mort me paraissait inutile et donc impossible. Je n'éprouvais même pas de joie, de tranquille fierté à mourir pour la révolution. Une étrange indifférence. Je n'avais pas envie de vivre, mais je n'avais pas non plus envie de mourir. La question du bilan de mon existence ne m'inquiétait pas, d'éventuels doutes sur l'au-delà ne m'effleuraient pas. Je me souviens de ce qui m'intéressait : La corde ne vous scie-t-elle pas le cou. Est-il douloureux d'être étranglé ? Et souvent, le soir, après l'inspection, quand dans la cour le tambour se taisait, je regardais fixement la lumière jaune de ma lampe, le seul objet qui se trouvait sur ma table de prison couverte de miettes de pain. Je me demandais : Éprouves-tu de la peur ? Et je me répondais : Non. Parce que tout m'était indifférent... Puis je me suis évadé. Les premiers jours, j'ai continué à éprouver la même morte indifférence. Je faisais machinalement en sorte de ne pas être arrêté. Mais pourquoi je le faisais, pourquoi je fuyais, je ne le savais pas. Là-bas, dans la prison, il me semblait parfois que le monde était merveilleux, et j'avais envie d'air et de soleil brûlant. Mais ici, en liberté, l'ennui m'accablait de nouveau. Un jour, vers le soir, je restai seul. L'orient s'assombrissait déjà, les premières étoiles s'allumaient. Les montagnes se voilaient d'une brume violette. D'en bas, de la rivière, monta le souffle de la nuit. Le foin embaumait. Les cigales stridulaient. L'air était onctueux et doux comme de la crème fraîche. Et c'est à cet instant que je compris soudain que j'étais vivant, qu'il n'y avait pas de mort, que la vie m'était de nouveau ouverte, que j'étais jeune, sain et vigoureux...

Et maintenant, je ressens la même chose. Oui, je suis jeune, sain et vigoureux. J'ai encore une fois échappé à la mort. Et pour la centième fois, je me demande : Ai-je eu tort d'embrasser Erna ? Mon tort n'aurait-il pas été plus grand si je m'étais détourné, si je l'avais rejetée ? Une femme est venue en apportant avec soi l'amour et de douces caresses. Pourquoi ces caresses engendrent-elles du chagrin ? Pourquoi l'amour apporte-t-il non de la joie, mais de la douleur ? Je ne sais pas, je ne veux et ne cherche pas à le savoir. Et parfois une intuition : Vania le sait. Mais il n'est déjà plus.

1er septembre

Andreï Petrovitch est revenu. Il a eu du mal à me trouver, et maintenant, il me donne une longue et chaleureuse poignée de main. Son visage de vieux rayonne. Il est content. Les rides de ses yeux confluent en un sourire.

– Je vous félicite, George.

– De quoi, Andreï Petrovitch ?

Il cligne malicieusement les yeux, hoche sa tête chauve :

– D'avoir vaincu et surmonté les obstacles.

Il m'ennuie, et je serais volontiers parti. Ennuyeuses sont ses paroles, et importunes ses félicitations. Mais il me sourit innocemment :

– Oui, George, en vérité, nous commencions à perdre espoir. Des échecs, oui, on sentait que vous étiez en échec. Et vous savez... – il se penche à mon oreille : Nous voulions même vous liquider.

– Nous liquider ? Comment ça ?

– C'est du passé... Je vous avoue que nous n'y croyions plus. Depuis si longtemps, et aucun résultat... Et nous nous sommes alors demandé : Ne vaut-il pas mieux vous dissoudre ? De toute façon, il n'en sortira rien... Les vieux imbéciles que nous étions... N'est-ce pas ?

Je le regarde avec étonnement. Il n'a pas changé : vieux et décrépit. Ses doigts sont comme toujours jaunes de tabac.

– Et vous... vous pensez que l'on peut nous liquider ?

– Voyons, George, vous vous fâchez bien vite.

– Je ne me fâche pas... Mais dites-moi, vous pensez que l'on peut nous liquider ?

Il me tape amicalement sur l'épaule.

– Oh, comme vous êtes... On ne peut même pas plai-
santer... – puis sur un ton sérieux : Bon, et maintenant,
c'est au tour de qui ? hein ?

– Pour l'instant, de personne.

– Personne. Le Comité a désigné le ministre de la Justice.

– Le Comité, oui, mais moi...

– Ah, George...

Je ris.

– Ne vous inquiétez pas, Andreï Petrovitch. Je dis :
donnez-nous le temps.

Il réfléchit longuement, en remuant les lèvres comme
un vieux.

– George, vous restez à Moscou ?

– Oui.

– Mieux vaut que vous partiez.

– J'ai une affaire, ici.

– Une affaire ?

Il est chagriné : quelle affaire est-ce ? Mais il n'ose pas
me le demander.

– Bon, soit. George, venez, on causera...

Et de nouveau, il me serre joyeusement la main.

– Bien joué, hein ? Chapeau... Bravo, les gars !

Andreï Petrovitch est un juge : il distribue louanges et
marques d'infamie. Je me tais : il croit vraiment en toute
sincérité que je suis heureux de ses louanges. Le pauvre
vieux.

3 septembre

C'est aujourd'hui que l'on juge Vania. Je suis allongé sur un divan, sur des coussins brûlants, dans un appartement de fortune. Il fait nuit. Dans le cadre de la fenêtre, le ciel nocturne avec un collier d'étoiles. La Grande Ourse. Je le sais : Vania a passé toute la journée sur le châlit de la prison ; parfois, il se levait pour aller à sa table, écrire. Et maintenant, la Grande Ourse brille pour lui comme pour moi. Et comme moi, il ne dort pas.

Je sais encore que demain aura lieu l'exécution. Demain, le bourreau en chemise rouge, une corde et une cravache à la main, entrera dans la cellule. Il liera les mains de Vania derrière le dos, et la corde entrera dans sa chair. Sous les voûtes, des éperons résonneront, les fusils des sentinelles tinteront tristement. Le portail s'ouvrira… Sur la langue de sable, une brume tiède fume, les pieds s'enfoncent dans le sable mouillé. L'orient rosit. Sur le ciel rose pâle, une flèche noire recourbée. C'est la potence. La loi.

Vania monte sur l'échafaud. Dans la brume du matin, sa silhouette est grise, les yeux et les cheveux de la même teinte. Il fait froid et il se recroqueville, rentrant le cou dans son col relevé. Puis le bourreau lui passe une longue chemise, serre la corde. Le suaire est blanc, le bourreau est rouge. Le bruit du tabouret qu'il rejette surprend. Le corps pend. Vania est pendu.

Les oreillers me brûlent le visage. La couverture a glissé par terre. Mon lit est incommode. Je vois Vania, ses yeux extasiés, ses boucles rousses. Et je m'interroge timidement : Pourquoi la potence ? Pourquoi le sang ? Pourquoi la mort ?

Et alors je me rappelle :
« Nous devons livrer notre âme pour nos frères. »
C'est ce qu'a dit Vania. Mais Vania n'est plus…

5 septembre

Je me dis : Vania n'est plus. Ce sont des mots simples,
mais je ne puis y croire. Je ne puis croire qu'il est déjà mort.
Il va frapper à la porte, entrer doucement, et j'entendrai,
comme auparavant : « Celui qui n'aime pas n'a point
connu Dieu, parce que Dieu est amour. »
Vania croyait au Christ, je n'y crois pas. Quelle différence y a-t-il entre nous ? Je mens, j'espionne, je tue. Vania
mentait, espionnait et tuait. Nous vivons tous de tromperie
et de sang. Au nom de l'amour ?
Le Christ est monté au Golgotha. Il ne tuait pas, il donnait la vie aux hommes. Il ne mentait pas, il enseignait la
vérité aux hommes. Il ne trahissait pas, il fut lui-même
trahi par son disciple. Donc voici l'alternative : la voie du
Christ, ou… Ou celle de Smerdiakov, comme Vania l'a
dit… Et alors, je suis Smerdiakov.
Je sais : Vania est saint dans sa mort, ses souffrances
sont sa dernière vérité. Cette sainteté et cette vérité me
sont inaccessibles, incompréhensibles. Je mourrai comme
lui, mais d'une mort obscure, car dans les eaux amères, il
y a de l'absinthe [1].

1. Apocalypse, 8, 11.

6 septembre

Elena me dit :
– Vous savez, j'ai tant craint pour vous… Je n'osais pas penser à vous… Vous êtes si… étrange.
Nous sommes à Sokolniki, comme auparavant. L'automne souffle sur les arbres, le vent pourchasse les feuilles pourpres. L'air est froid. On sent l'odeur de la terre.
– Mon chéri, comme c'est bon…
Je prends ses mains, je baise ses doigts effilés et mes lèvres murmurent :
– Chérie, chérie, chérie…
Elle rit.
– Ne sois pas si triste. Sois gai !
Mais je dis :
– Écoute, Elena. Je t'aime, je t'appelle : suis-moi.
– Pourquoi ?
– Je t'aime.
Avec souplesse, elle se serre contre moi et susurre :
– Tu le sais, moi aussi, je t'aime.
– Et ton mari ?
– Eh bien ?
– Tu vis avec lui.
– Ah, mon chéri… Cela importe-t-il ? En ce moment, je suis avec toi.
– Sois toujours avec moi.
Elle rit encore, de son rire sonore :
– Je ne sais pas, je ne sais pas.
– Elena, ne ris pas et ne plaisante pas.
– Je ne plaisante pas… – elle m'enlace de nouveau.

Est-il nécessaire d'aimer toujours? Peut-on vraiment aimer toujours? Tu voudrais que je t'aime toi seul... Je ne peux pas. Je m'en vais.

– Tu t'en vas chez ton mari?

Elle hoche la tête en silence.

– Donc, tu l'aimes?

– Mon chéri, vois le soleil du soir qui luit, le vent qui bruit, l'herbe qui murmure. Nous nous aimons. Que veux-tu de plus? Pourquoi songer à ce qui a été? Pourquoi savoir ce qui sera? Ne me torture pas. Il ne faut pas de souffrances. Réjouissons-nous tous les deux, vivons. Je ne veux pas de chagrin ni de pleurs...

Je dis :

– Tu as prétendu que tu étais à lui et à moi. C'est bien ça, hein? Est-ce vrai?

– Oui, c'est vrai.

Une ombre glisse sur son visage. Ses yeux sont tristes et sombres. La robe blanche se fond dans le crépuscule.

– Pourquoi?

– Ah, pourquoi?

Je me penche sur elle :

– Et si... S'il n'y avait pas de mari?

– Je ne sais pas... Je ne sais rien... L'amour est-il éternel? Ne m'interroge pas, mon chéri... Et ne pense à rien, ne pense à rien, ne pense à rien...

Elle m'embrasse. Je suis muet. La jalousie éclôt lentement dans mon âme : je ne veux pas partager et je ne partagerai avec personne.

10 septembre

Elena vient en secret chez moi et les heures, les semaines, s'écoulent avec la rapidité des eaux d'une rivière. Le monde entier tient maintenant pour moi dans une seule chose – dans mon amour pour elle. Le rouleau des souvenirs est refermé, le miroir de la vie s'est troublé. J'ai devant moi les yeux d'Elena, ses lèvres, ses mains bien-aimées, toute sa jeunesse et son amour. J'entends son rire, sa voix joyeuse. Je joue avec ses cheveux, j'embrasse avidement son corps chaud et heureux. La nuit tombe. La nuit, ses yeux sont encore plus vifs, son rire plus sonore, ses baisers plus douloureux. Et voici de nouveau, comme un sortilège : l'étrange fleur du Midi, le cactus sanglant, ensorcelant et amoureux. Qu'ai-je à faire du terrorisme, de la révolution, de la potence et de la mort, si elle est avec moi ?... Elle entre timidement, les yeux baissés. Mais voici que ses joues s'embrasent, que son rire tinte. Elle chante sur mes genoux, d'une voix forte et sans souci. Que chante-t-elle ? Je ne sais pas, je n'entends pas. Je la sens tout entière, et sa joie résonne dans mon cœur, et ma tristesse a disparu. Elle m'embrasse et murmure :

– Peu importe... Tu peux partir demain... Mais aujourd'hui, tu es mien... Je t'aime, mon chéri.

Je n'arrive pas à la comprendre. Je sais : les femmes aiment ceux qui les aiment, aiment l'amour. Mais aujourd'hui le mari, demain moi, et après-demain de nouveau les baisers du mari... Je lui ai dit une fois :

– Comment peux-tu en embrasser deux ?

Elle a levé ses fins sourcils :

– Pourquoi pas, mon chéri ?

Je ne savais que répondre. J'ai lancé, méchamment :

– Je ne veux pas que tu l'embrasses.

Elle a éclaté de rire :

– Et lui ne veut pas que je t'embrasse.

– Elena…

– Oui, mon chéri ?

– Ne parle pas ainsi avec moi.

– Ah, mon chéri, mon chéri… Pourquoi t'occuper de qui j'embrasse et quand ? Est-ce que je sais qui tu as déjà embrassé ? Est-ce que je veux et je peux le savoir ? Aujourd'hui, je t'aime… N'es-tu pas content ? N'es-tu pas heureux ?

Je veux lui dire : Tu n'as ni honte ni amour… Mais je me tais : est-ce que j'en ai, moi, de la honte, dans mon âme ?

– Écoute, poursuit-elle en riant, pourquoi décréter : ceci est permis, cela ne l'est pas ? Sache vivre, sache te réjouir, sache prendre l'amour à la vie. Il n'est pas besoin de haine, ni d'attentats. Le monde est grand et il y a de la joie et de l'amour pour tous. Dans le bonheur, il n'y a pas de péché. Dans les baisers, il n'y a pas de tromperie… Ainsi donc, ne pense à rien et embrasse-moi… – et ensuite, elle continue : Toi, mon chéri, tu ne connais pas le bonheur… Toute ta vie n'est que sang. Tu es d'airain, le soleil n'est pas pour toi… Pourquoi, pourquoi penser à la mort ? Il faut vivre dans la joie… N'est-ce pas, chéri ?

Pour toute réponse, je garde le silence.

12 septembre

Je pense de nouveau à Elena. Peut-être qu'elle ne m'aime pas, et n'aime pas son mari non plus. Peut-être n'aime-t-elle que l'amour. Ce n'est que dans l'amour que sa vie brille, c'est pour l'amour qu'elle est venue au monde, et au nom de l'amour qu'elle descendra dans la tombe. Et quand j'y songe, une joie mauvaise se lève en moi. A quoi bon être avec Elena, embrasser son admirable corps, voir ses yeux aimants, lumineux, pour qu'ensuite elle parte avec un sourire rejoindre son mari et vivre amoureusement avec lui ? La pensée de ce jouvenceau blond et svelte m'accable. Quelquefois, dans le silence, je me surprends à des rêveries profondes et secrètes. Il me semble alors que ce n'est pas à lui que je pense, mais à celui qui n'est plus, et auquel naguère je pensais avec ressentiment. Il me semble que le gouverneur général est toujours en vie.

Voici que j'avance sur un chemin couvert d'épines. Sur cet étroit sentier, voici son mari. Il me gêne : elle l'aime.

Dans les jardins, je regarde l'automne tomber de lassitude. Les froides reines-marguerites rougissent, les feuilles sèches se détachent. Les gelées blanches recroquevillent l'herbe. En ces jours où tout s'étiole, une pensée familière me vient à l'esprit. Je me rappelle ces paroles oubliées :

> *Si un pou dans ta chemise*
> *Crie que tu es une puce,*
> *Sors dans la rue*
> *Et tue-le !*

13 septembre

Heinrich a passé tous ces jours-ci à Moscou. Il a de la famille dans le quartier d'Outre-Moskova. Ce n'est qu'aujourd'hui qu'il part rejoindre Erna à Pétersbourg. Il s'est reposé, a repris des forces et du poids. Ses yeux brillent, son discours s'est raffermi. Il y avait longtemps que je ne l'avais vu.

Nous sommes attablés dans une auberge. Naguère, Vania y venait avec nous. Heinrich mange et en attendant la suite dit :

— Vous avez lu, George, ce qu'on écrit dans les *Nouvelles révolutionnaires* ?

— A quel sujet ?

— Au sujet du gouverneur général.

— Non, je n'ai rien lu.

Il est indigné et dit avec fougue :

— Ils parlent de sa signification non seulement pour Moscou, mais pour toute la Russie. Je suis d'accord : cette action marque un tournant. Désormais, on voit notre force, on comprendra que le parti vaincra, qu'il ne peut pas ne pas vaincre.

Il sort une fine feuille imprimée.

— Voici, George, lisez.

Cela m'ennuie de l'écouter, cela m'ennuie de lire. Je repousse la feuille et dis à contrecœur :

— Cachez-la. Cela n'en vaut pas la peine.

— Comment ? Comment, ça n'en vaut pas la peine ? Tout le travail est fait dans ce but.

— Quel travail ?

– Le nôtre, bien sûr.

– Pour un article de journal ?

– Vous vous moquez... La presse est indispensable. Il faut une propagande du terrorisme. Les masses doivent comprendre, l'idée de la lutte doit pénétrer dans les campagnes. Non ?

Cela ne m'intéresse pas :

– Passons à un autre sujet. Écoutez, Heinrich, vous aimez Erna, n'est-ce pas ?...

Il laisse tomber sa cuiller dans son assiette et devient cramoisi. Puis d'une voix tremblante, il demande :

– D'où le tenez-vous ?

– Je le sais.

Il se tait, confus.

– Eh bien, prenez soin d'elle... Et je vous souhaite du bonheur.

Il se lève, arpente le cabinet crasseux. Enfin, il m'interroge à voix basse :

– George, je vous fais confiance, dites-moi la vérité.

– Que voulez-vous que je vous dise ?

– N'aimez-vous pas Erna ?

Son visage morose, piqueté de rouge, m'amuse. J'éclate d'un grand rire :

– Moi ? Aimer Erna ? Vous n'y pensez pas ! Dieu m'en garde.

– Et jamais... jamais vous ne l'avez aimée ?

Je dis bien distinctement :

– Non. Je ne l'ai jamais aimée.

Son visage s'illumine d'un sourire heureux. Il me serre amicalement la main.

– Bon, je pars. Adieu.

Il s'en va rapidement. Je reste longtemps seul à cette table sale, devant les assiettes sales. Et soudain, tout me paraît irrésistiblement ridicule : j'aime, elle aime, il aime... Quelle rengaine.

14 septembre

Aujourd'hui, je n'ai pas vu Elena. Le soir, je suis allé au Tivoli. La même impudence, le boucan de l'orchestre, les chants des tziganes. Les mêmes femmes qui errent entre les tables avec un froufrou de robes de soie. Et le même ennui qui m'envahit.

A la table voisine, un officier de marine, soûl. Le vin brille dans les verres, les diamants des dames jettent des éclats. Des rires et des bribes de conversation arrivent jusqu'à moi. L'aiguille de l'horloge avance lentement.

Soudain, j'entends :

– Qu'avez-vous à vous ennuyer ?

Un officier vacillant me tend un verre. Ses joues sont rouges, sa moustache est coupée en brosse. Le gouverneur général portait la même.

– N'avez-vous pas honte de vous ennuyer ici... Permettez-moi de me présenter : Berg... Venez avec nous, à notre table... Les dames vous en prient...

Je me lève et me présente :

– Malinovski, ingénieur.

Peu m'importe où me trouver : je m'assieds noncha-
lamment à leur table. Tous rient, tous trinquent avec moi.
Les violons pleurent, par la fenêtre l'aube grisonne.

Soudain j'entends quelqu'un demander :

– Où est Ivanov ?

– Quel Ivanov ?

– Le colonel Ivanov... Où est-il passé ?

Je me rappelle : le chef du département de la Sûreté
s'appelle Ivanov. N'est-ce pas lui qu'on cherche ? Je me
penche sur l'épaule de mon voisin éméché :

– Excusez-moi, il s'agit bien du colonel des gendarmes
Ivanov ?

– Euh oui... bien sûr... En personne... Mon ami et ca-
cama-rade...

Une tentation agréable me brûle. Je ne vais pas me
lever. Je reste. Je sais : cet Ivanov, de toute évidence, porte
mon portrait sur lui. Je tâte mon pistolet et j'attends.

Ivanov entre. Il ressemble à un gros marchand, la
barbe rousse. Il s'assied pesamment et se met à boire de
la vodka. On nous présente :

– Malinovski.

– Ivanov.

Il est venu ici pour boire et de nouveau, je m'ennuie. Et
voici encore une tentation agréable, me lever et lui murmurer :

– George O'Brien, mon colonel.

Mais je me lève sans rien dire. Dehors, pleure la pluie ; la
ville de pierre dort. Je suis seul. J'ai froid, tout est sombre.

15 septembre

Je me demande : Pourquoi suis-je à Moscou ? Que puis-je en attendre ? Elena n'est qu'une amante. Elle ne sera jamais ma femme. Je le sais, et cependant je ne peux pas m'en aller. Je sais aussi que chaque jour apporte un risque supplémentaire, que je joue ma vie. Mais je le veux ainsi.

A Versailles, dans le parc, une véranda donne sur des pièces d'eau. Entre de délicats bosquets et des parterres coquets, leurs rives dessinent des lignes nettes. Une vapeur humide s'élève des jets d'eau, les eaux cristallines stagnent. Une indolente quiétude règne sur le tout.

Je ferme les yeux : je suis à Versailles. J'aimerais ne plus penser à Elena, j'aspire aujourd'hui au repos. Le fleuve de la vie s'écoule. Le jour se lève et s'en va. Et moi, je suis là avec mon amour, comme un esclave enchaîné.

Quelque part au loin s'élèvent des hauteurs glacées. La neige vierge, azurée, brille sur les montagnes. Des hommes vivent paisiblement à leur pied, ils aiment paisiblement et meurent paisiblement. Le soleil les éclaire, l'amour les réchauffe. Mais pour vivre comme eux, il ne faut ni colère ni glaive… Et je me souviens de Vania. Peut-être a-t-il raison, mais l'habit blanc n'est pas pour moi : le Christ n'est pas avec moi.

16 septembre

– Mon chéri, pourquoi es-tu toujours triste, s'enquiert Elena, tu crois que je ne t'aime pas ? Regarde, je t'offre une perle.

Elle retire de son doigt une bague en or ornée d'une grosse perle pareille à une larme.

– Prends-en soin… C'est mon amour.

Elle m'enlace avec confiance.

– Tu es affligé parce que je ne suis pas ta femme ? Oh, je sais : le mariage, c'est l'habitude de l'amour, l'amour fade, sans éclat. Mais moi, je veux t'aimer… Je veux de la beauté et du bonheur… – pensive, elle ajoute : Pourquoi les hommes dessinent-ils des lettres avec lesquelles ils composent des mots, et avec ces mots, des lois ? Ces lois emplissent des bibliothèques. Interdit de vivre, interdit d'aimer, interdit de penser. Un interdit pour chaque jour… Comme c'est ridicule et bête… Pourquoi dois-je aimer un seul homme ? Dis, pourquoi ?

Et de nouveau, je ne sais que lui répondre.

– Tu vois, George, tu te tais. Toi aussi tu l'ignores. N'as-tu donc jamais aimé ?

Une frayeur m'envahit. Oui, j'en ai aimé plus d'une, et je n'ai jamais su pourquoi on écrivait des lois. Elle emploie mes paroles. Mais à présent j'y perçois du mensonge. Et je veux le lui expliquer, mais je n'ose pas.

Ses lourdes nattes noires reposent sur ses épaules. Dans le cadre noir de ses boucles, son visage semble plus pâle et plus fin. Et ses yeux attendent une réponse.

Je l'embrasse sans un mot. Je baise ses mains innocentes,

son jeune corps vigoureux. Les baisers me torturent. Lancinante, une pensée ensorcelée : qui l'embrasse comme moi, et qui elle aime ? Et je dis :

– Non, écoute, Elena... Ou bien lui, ou bien moi...

Elle rit :

– Tu vois : je suis l'esclave, et tu es le maître... Et si je ne veux pas choisir ?... Pourquoi choisir, dis ?

Dehors, le bruit de la pluie. Sa silhouette se profile dans la pénombre, avec ses grands yeux, noirs de nuit. Et je dis en pâlissant :

– Je le veux ainsi, Elena.

Triste, elle se tait.

– Choisis.

– Chéri, je ne peux pas...

– J'ai dit : choisis.

Elle se lève vivement. Elle dit, calme et résolue :

– Je t'aime, George. Tu le sais. Mais jamais je ne serai ta femme.

Elle est partie. Je suis seul. Il ne me reste que sa perle.

17 septembre

Elena aime son magnifique corps, sa jeunesse. On dit que cet amour est liberté. Cela me fait rire : qu'Elena soit l'esclave et moi le maître, ou que je sois l'esclave et elle libre, je sais pertinemment que je ne peux pas partager mon amour. Je ne puis embrasser si un autre embrasse.

Vania cherchait le Christ, Elena cherche la liberté. Cela m'est égal : le Christ, l'Antéchrist, Dionysos, peu importe. Je ne cherche rien. J'aime. Et mon amour est mon droit.

Voici de nouveau la fleur pourpre qui m'enivre. De nouveau, un mystérieux ensorcellement. Je suis comme le rocher dans le désert. Mais je tiens à la main une faucille aiguisée [1].

18 septembre

Hier a eu lieu ce que j'attendais, mais à quoi, en secret, je ne croyais pas. Jour de détresse et d'opprobre. Je me promenais sur le Pont des Maréchaux. Une brume laiteuse rampait et fondait en volutes vaporeuses.

J'allais sans but, sans pensées, comme un vaisseau sans gouvernail sur une mer houleuse.

Soudain, dans le brouillard, une tache s'épaissit, une ombre confuse bougea. Un officier se dirigeait à grands pas droit vers moi. Il m'avisa et s'arrêta net. Je le reconnus : c'était le mari d'Elena. Je plongeai mes yeux dans les siens et lus de la colère dans ses pupilles sombres.

Je le saisis alors doucement par le bras et dis :

– Je vous attendais depuis longtemps.

Nous prîmes en silence la rue de Tver. Nous marchâmes longtemps dans le brouillard, mais nous connaissions tous deux notre chemin. Et nous étions proches comme des frères. Nous arrivâmes ainsi au jardin public.

---

1. Allusion probable à L'Exode, 17, 6 : Moïse frappe un rocher de son bâton, et il en sort une source.

L'automne, les branches nues, telle une grille de prison. Le brouillard fond, l'herbe est mouillée. Odeur de pourriture et de mousse.

Loin, dans un taillis, je choisis un sentier. Je m'assieds sur une souche et demande froidement :

— Vous m'avez reconnu ?

Il acquiesce d'un signe de tête.

— Vous savez pourquoi je suis à Moscou ?

Il opine encore du chef.

— Alors, vous savez aussi que je ne partirai pas.

Il dit avec un sourire moqueur :

— En êtes-vous sûr ?

Sûr ? Je ne le sais pas. Comment savoir lequel de nous Elena aime. Mais je dis seulement :

— Et vous ?

Un silence.

— Eh bien, c'est vous qui quitterez Moscou. Vous entendez ? Vous.

Une rougeur de colère l'envahit. Mais il dit avec sang-froid :

— Vous êtes fou.

Alors, sans mot, je sors mon arme. Je mesure huit pas sur l'herbe et marque la limite en posant une branche mouillée à chaque extrémité. Il suivait mes mouvements avec attention. Quand j'eus fini, il commenta en souriant :

— Vous voulez donc vous battre ?

— Je l'exige : quittez cette ville.

Il est blond, svelte, il me regarde droit dans les yeux. Et répète, railleur :

– Vous êtes fou.

Un autre silence. Je dis :

– Allez-vous vous battre ?

Il dégrafa son étui, sortit à contrecœur son pistolet. Puis après un instant de réflexion :

– Bon... A vos ordres.

Il est déjà à la limite. Je sais qu'à dix pas de distance je perce un as. Je ne puis manquer mon coup. Je lève mon pistolet. Dans la mire noire, un bouton de son manteau. J'attends, d'abord muet. Puis, à pleine voix :

– Un...

Ses lèvres restent scellées.

– Deux et... trois !

Il demeure immobile, la poitrine tournée vers moi, le pistolet baissé. Il se raille de moi... Soudain une boule brûlante et dure me serre la gorge. Hors de moi, je crie :

– Tirez !

Rien. Alors, lentement, joyeusement, je presse longuement la détente de mon pistolet. Une flamme jaune jaillit, une nappe de fumée blanche s'étend.

Je m'avançai sur l'herbe mouillée et me penchai sur le corps. Il gisait sur le sentier, face contre terre, dans la boue froide et molle. Le bras était étrangement replié, les jambes largement écartées. Il bruinait, il y avait du brouillard. Je m'enfonçai dans l'épaisseur du bois. Le crépuscule tombait. Sous les arbres, on n'y voyait goutte. Je marchais sans but. Tel un navire sans gouvernail.

20 septembre

A la bataille de Tsushima, les hommes ont péri de manière absurde. La nuit noire, une brume marine, la houle. Telle une énorme bête sauvage blessée, le cuirassé se cache. C'est à peine si l'on voit les cheminées noires ; les canons qui avaient grondé se sont tus. Le jour, on a combattu, la nuit, on fuit dans l'attente d'une attaque. Des centaines d'yeux fouillent l'obscurité. Et soudain, un hurlement, comme le cri d'une mouette effrayée : « Un torpilleur à bâbord ! » Le faisceau du projecteur jaillit, aveuglant la nuit de sa lumière crue. Et ensuite... Ceux qui étaient sur le pont se jettent à l'eau. Ceux qui étaient à l'intérieur, derrière le blindage, se heurtent aux écoutilles. Le navire sombre lentement, le nez en avant. Dans la salle des machines, les mécaniciens sont projetés à terre comme des ballots. Les chaînes métalliques les frappent, les pignons les hachent, la fumée les étouffe, la vapeur les ébouillante. Voilà comment ils périssent. Une mort absurde, anonyme.

Voici encore une mort. Le Nord, la mer, un grain. Le vent déchire les voiles, fait mousser une écume blanche. Une barque de pêcheurs est perdue dans les vagues plombées. Le jour gris s'éteint en un pâle crépuscule. Au loin, un phare s'est allumé. Rouge, blanc, puis de nouveau rouge. Les hommes sont figés sur la proue glissante, agrippés aux agrès. Les vagues grondent, la pluie fouette... Et soudain, à travers le hurlement du vent, un lent tintement. Près du bord bas du bateau, une cloche se balance sur l'eau et sonne. C'est une balise. Sur un écueil. C'est la mort... Ensuite, de nouveau le vent, le ciel et les vagues. Mais il n'y a déjà plus personne.

Et encore une mort. J'ai tué un homme... Jusqu'alors, j'avais une justification : je tuais au nom de la terreur, pour la révolution. Ceux qui coulaient les Japonais le savaient comme moi : la mort est nécessaire pour la Russie. Mais voilà que j'ai tué pour moi. J'ai voulu, et j'ai tué. Qui est juge ? Qui me condamnera ? Qui me justifiera ? Mes juges me font rire, leurs verdicts sévères me font rire. Qui viendra à moi et me dira avec foi : « Il est interdit de tuer, ne tue pas. » Qui osera me jeter la pierre ? Il n'y a pas de bornes, pas de différence. Pourquoi tuer pour la terreur est bien, tuer pour la patrie est nécessaire, tuer pour soi est impossible ? Qui me répondra ?

Voici la nuit qui regarde à la fenêtre, je vois les étoiles incandescentes. La Grande Ourse brille, la Voie lactée coule comme une rivière argentée, les pléiades étincellent timidement. Qu'y a-t-il au-delà ? Vania avait la foi. Il savait. Mais moi, je suis seul, la nuit garde un silence incompréhensible, la terre respire le mystère, et les étoiles scintillent énigmatiquement. J'ai parcouru un chemin difficile. Où est la fin ? Où est le repos mérité ? Le sang engendre le sang et la vengeance se nourrit de la vengeance. Ce n'est pas seulement lui que j'ai tué... Où aller, où fuir ?

22 septembre

Aujourd'hui, il tombe depuis le matin une fine pluie d'automne. Je contemple cette toile d'araignée et paresseusement, comme ces gouttes, d'ennuyeuses pensées me troublent.

Il y avait Vania, et il est mort. Il y avait Fiodor, et on l'a tué. Il y avait le gouverneur général, et il n'est plus... On vit, on meurt, on naît. On vit, on meurt... Le ciel se rembrunit, il pleut.

Je n'ai pas de remords. Oui, j'ai tué. Au souvenir d'Elena, je n'éprouve pas d'amertume. C'est comme si mon coup de feu de brigand avait réduit mon amour en cendres. Sa douleur m'est à présent étrangère. J'ignore où elle est et ce qu'elle devient. Le pleure-t-elle, pleure-t-elle sa vie irréprochable, ou bien a-t-elle déjà oublié? Oublié qui? Moi? Moi et lui. De nouveau lui. Nous sommes toujours rivés à la même chaîne.

La pluie tombe dru et tambourine sur les toits de zinc. Vania disait : Comment vivre sans amour? C'est Vania qui le disait, pas moi... Non. Moi, je suis le maître de l'atelier du sang. Et je me remettrai au travail. Heure après heure, jour après jour, je préparerai des attentats. Je ferai des filatures, je vivrai pour la mort, et un jour éclatera une joie enivrante : ça y est, j'ai vaincu. Et ainsi jusqu'à la potence, jusqu'à la tombe.

Et les hommes chanteront victoire, entonneront des louanges. Que m'importe leur courroux, leur pitoyable joie?...

Une brume laiteuse enveloppe de nouveau toute la

ville. Les cheminées des usines pointent mornement, le long sifflet d'une sirène retentit. Un brouillard froid rampe. La pluie continue de tomber dru.

23 septembre

Le Christ a dit : « Tu ne tueras pas », et Son disciple Pierre a tiré le glaive pour tuer. Le Christ a dit : « Aimez-vous les uns les autres », et Judas L'a trahi. Le Christ a dit : « Je suis venu non pour juger le monde, mais pour sauver le monde [1] », et il a été condamné.

Il y a deux mille ans, Il priait et sa sueur devint comme du sang, tandis que Ses disciples dormaient. Il y a deux mille ans, la foule le revêtit d'un manteau de pourpre : « A mort ! Crucifie-le ! » Et Pilate dit : « Crucifierai-je votre roi ? » Mais les grands prêtres répondirent : « Nous n'avons de roi que César [2] ! »

Et nous aussi nous n'avons pas d'autre roi que César. Et aujourd'hui encore Pierre tire l'épée, Anne et Caïphe jugent, Judas fils de Simon trahit. Et aujourd'hui encore on crucifie le Christ.

Donc, Il n'est pas le cep, et nous ne sommes pas les sarments [3]. Donc, Sa parole est un vase d'argile. Donc, Vania n'a pas raison… Pauvre Vania plein d'amour… Il cherchait la justification de la vie. A quoi bon une justification ?

Les Huns ont traversé les champs, en foulant le grain qui

1. Jean, 12, 47.
2. Jean, 19, 15.
3. Jean, 15, 5.

levait. Le cheval blême a foulé l'herbe, et l'herbe a fané. Les hommes entendaient le Verbe, et voilà le Verbe outragé. Vania écrivait avec foi : « C'est l'amour, et non le glaive qui sauvera le monde, et c'est l'amour qui l'organisera. » Mais Vania aussi a tué, il a « commis le plus grave des péchés contre les hommes et contre Dieu ». Si j'avais pensé comme lui, je n'aurais pas pu tuer. Et, ayant tué, je ne peux pas penser comme lui.

Prenons Heinrich. Pour lui, il n'y a pas d'énigme. Le monde est simple comme un abécédaire. D'un côté il y a les esclaves, de l'autre les seigneurs. Les esclaves se soulèvent contre les seigneurs. Quand c'est un esclave qui tue, c'est bien. Quand on tue un esclave, c'est mal. Viendra le jour où les esclaves vaincront. Ce sera alors le paradis et la Bonne Nouvelle sur la terre : tous égaux, rassasiés et libres.

Je ne crois pas au paradis sur terre, je ne crois pas au paradis au ciel. Je ne veux pas être un esclave, même un esclave libre. Toute ma vie est un combat. Je ne peux pas ne pas lutter. Mais au nom de quoi je lutte, je ne le sais pas. Je le veux ainsi. Et je n'allonge pas mon vin.

24 septembre

Je loue de nouveau une chambre d'hôtel, sous le nom de l'ingénieur Malinovski. Je vis à ma guise, sans observer les sévères règles de la clandestinité. Maintenant, peu m'importe : que la police me recherche, qu'elle m'arrête.

C'est le soir. Il fait froid. Le croissant de lune trompeur au-dessus d'une cheminée d'usine neuve. Le clair de lune se répand sur les toits, projette des ombres nonchalantes. La ville dort. Je ne dors pas.

Je pense à Elena. Il me paraît à présent étrange d'avoir pu l'aimer, d'avoir pu la tuer au nom de l'amour. Je veux ressusciter ses baisers. Le souvenir ment : je n'éprouve ni joie ni ravissement. Lasses sont les paroles, et indolentes les caresses. L'amour s'est éteint comme le feu du couchant. C'est le crépuscule qui revient, l'ennui.

Je me demande : Pourquoi ai-je tué ? Qu'ai-je obtenu par la mort ? Oui, je le croyais : il est permis de tuer. Mais à présent, je suis triste. Ce n'est pas seulement lui que j'ai tué, j'ai tué l'amour aussi. Ainsi s'afflige le mélancolique automne : les feuilles mortes tombent. Les feuilles mortes de mes jours perdus.

25 septembre

Je suis tombé aujourd'hui par hasard sur un journal où j'ai lu cette dépêche de Saint-Pétersbourg, en petits caractères :

« Hier soir la police est intervenue au Grand-Hôtel pour arrêter une demoiselle de la noblesse, Petrova. En réponse à l'injonction d'ouvrir la porte, un coup de feu a retenti. Après avoir forcé la porte, les policiers ont découvert sur le sol le corps encore chaud de la suicidée. Une enquête a été ouverte. »

Petrova était le nom de clandestinité d'Erna.

26 septembre

Je sais comment cela s'est passé. La nuit, vers le matin, on a frappé à sa porte. Pas fort. La chambre était sombre et silencieuse. Elle avait le sommeil léger et s'est réveillée tout de suite. On frappa de nouveau, plus fort et avec plus d'insistance. Elle a rajusté rapidement ses nattes et s'est levée. Sans allumer la lumière, pieds nus, elle s'est approchée de la grande table, à droite, près du piano. A tâtons, elle a sorti un pistolet du tiroir. C'est moi qui le lui avais offert. Puis elle a commencé de s'habiller, toujours à tâtons, dans l'obscurité. On frappa une troisième et dernière fois. A moitié vêtue, elle est allée à la fenêtre, dans le coin. Elle a tiré le lourd rideau. Elle a regardé la cour de pierre, exiguë et humide. En guise d'étoiles, un réverbère pâlot en bas... Déjà, on forçait la porte. Quelqu'un donnait des coups de hache réguliers. Elle s'est retournée vers la porte et d'un mouvement souple et fort, elle a pressé le pistolet contre sa poitrine. Contre son corps nu. A hauteur du cœur, un peu en dessous du sein. Puis elle est tombée à la renverse dans le coin de la chambre. Le pistolet faisait une tache noire sur le tapis. Tout redevint sombre et silencieux.

Mais maintenant, en ce moment, elle est là, comme vivante, sur le pas de ma porte. Ses boucles sont emmêlées, ses yeux éteints. Elle frissonne de tout son frêle corps et murmure :

– George, tu viendras, n'est-ce pas ?... George...

Aujourd'hui, je vais aller me promener dans Moscou. Sur les églises, les croix brillent. Les cloches sonnent tristement les vêpres. Bruit de la rue et bruit des voix. Tout m'est familier et étranger. Voici la grille et la croix. C'est ici que Vania a tué. Plus loin au bas de la rue, Fiodor est mort. C'est là que j'ai rencontré Elena... Dans le parc, Erna pleurait... Tout a passé. Il y a eu une flamme ; à présent la fumée se dissipe.

27 septembre

Ennui de vivre. Les jours, les semaines, les années traînent, monotones. Aujourd'hui comme demain, et hier comme aujourd'hui. La même brume laiteuse, les mêmes jours ternes. Le même amour, la même mort. La vie est comme une rue étroite : de vieilles maisons, des toits bas, plats, des cheminées d'usines. Une forêt noire de cheminées en briques.

Voici le théâtre de marionnettes. Le rideau se lève, nous sommes sur la scène. Le pauvre Pierrot aime Pierrette. Il lui jure un amour éternel. Pierrette a un fiancé. Un pistolet d'enfant claque, le sang coule – du jus de groseille. Un orgue de Barbarie glapit en coulisse. Rideau. Deuxième numéro : une chasse à l'homme. Il porte un chapeau garni de plumes de coq, c'est un amiral de la flotte suisse. Nous, nous portons des capes rouges et des masques. Rinaldo Rinaldini [1]

1. Brigand italien, héros du roman de l'écrivain allemand C.-A. Vulpius, *Rinaldo Rinaldini, capitaine de voleurs* (1797).

est avec nous. Des carabiniers nous poursuivent. Ils ne peuvent pas nous attraper. De nouveau, le pistolet claque, l'orgue de Barbarie glapit. Rideau. Troisième numéro : Athos, Porthos, Aramis. Sur leur jaquette dorée, des éclaboussures de vin. A la main, des épées de carton. Ils boivent, embrassent, chantent, tuent parfois. Qui est plus courageux qu'Athos ? Plus fort que Porthos ? Plus rusé qu'Aramis ? Fin. L'orgue de Barbarie bourdonne une marche plaisante.

Bravo. Le paradis et le parterre sont contents. Les acteurs ont fait leur travail. On les prend par leurs tricornes, par leurs plumes de coq, et on les jette dans une boîte. Les fils se sont emmêlés. Où est l'amiral, où sont Rinaldo, Pierrot l'amoureux ? Qui les débrouillera ? Bonne nuit. A demain.

Aujourd'hui, c'est nous qui sommes sur la scène, Fiodor, Vania, le gouverneur général, moi. Le sang coule. Dans une semaine, de nouveau : l'amiral, Pierrette, Pierrot. Et le sang coule, du jus de groseille.

Et les hommes cherchent là un sens ? Et je cherche les maillons de la chaîne ? Et Vania croit à Dieu ? Et Heinrich à la liberté ?... Non, bien sûr, le monde est plus simple que cela. Le manège tourne, ennuyeux. Comme des moucherons, les hommes sont attirés par la flamme. Et meurent dans la flamme. Mais qu'importe.

Je m'ennuie. Les jours vont se succéder encore et encore. L'orgue de Barbarie glapira en coulisse, Pierrot se sauvera en courant. Venez. Le guignol est ouvert.

Je me rappelle : c'était à la fin de l'automne, la nuit, au bord de la mer. La mer endormie soupirait, rampait paresseusement jusqu'au rivage, mouillait paresseusement le sable. Il y avait de la brume. Les contours se noyaient dans la vapeur blanchâtre et funèbre. Les vagues se fondaient avec le ciel, le sable se fondait avec l'eau. Quelque chose d'humide, d'aqueux m'enveloppait. Je ne savais pas où était le commencement, la fin, la mer, la terre. Je respirais une humidité salée. J'entendais le bruissement de l'eau. Aucune étoile, aucune échappée de lumière. Alentour, la brume translucide.

Comme maintenant. Pas de frontière, pas de fin ni de commencement. Vaudeville ou drame? Jus de groseille ou sang? Guignol ou vie réelle? Je ne sais. Qui le sait?

1er octobre

J'ai fui Moscou. Hier soir, je suis allé à la gare et je suis machinalement monté dans un wagon. Les tampons font un bruit de ferraille, les ressorts ploient. La locomotive siffle. Défilé rapide de lumières dans la fenêtre. Coups rapides des roues.

A Pétersbourg, c'est la boue d'automne. Le matin est morose. Les vagues de la Neva sont de plomb. Sur l'autre rive, une ombre brumeuse, une flèche acérée : la forteresse.

A trois heures, le jour s'éteint, on allume les réverbères. De la mer, le vent mugit. Entre ses quais de granit, la Neva bouillonne : l'inondation menace.

Ennui. A Moscou, des croix, à Pétersbourg, des soldats. Le monastère et la caserne... J'attends la nuit. La nuit est mon heure. L'heure de l'oubli et de la paix.

3 octobre

Hier, sur la Perspective Nevski, je suis tombé sur Andreï Petrovitch. Il était tout content, ses yeux souriaient. Il ne m'aborda pas. Prudent, il me suivit. Je ne veux pas le voir. Je ne veux pas parler des affaires. Je connais toutes ses paroles, ses sermons pleins de bon sens. J'accélère le pas, je tourne dans une rue transversale. Il me rattrape.

– Vous voilà de retour, George ? Dieu soit loué – et il me serre vigoureusement la main : Entrons dans ce restaurant.

Comme toujours, l'orgue mécanique est éraillé, des garçons courent. Tout m'est désagréable : la fumée de tabac, la forte odeur de vodka, de nourriture et de bière.

– Nous vous attendions. Écoutez, George.

– Oui ?

Il chuchote mystérieusement :

– Il y a du travail… Vous savez, ils ont trouvé Erna. Elle s'est brûlé la cervelle.

– Eh bien ?

– Il faut agir. Nous avons décidé : le ministre de la Justice.

Sa barbe grisonnante tremble, ses yeux de vieillard clignent. Il attend ma réponse.

Silence. Il poursuit :

– Nous avons décidé de vous le confier. L'affaire est difficile : c'est à Pétersbourg. Mais vous y arriverez, George.

Je l'écoute sans l'entendre. Un étranger me parle dans une langue inconnue. Le voilà qui m'appelle de nouveau

au terrorisme, de nouveau à tuer. Je ne veux pas tuer.
Pourquoi ?

Et je dis :

– Pourquoi ?

– Comment, George, « pourquoi » ?

– Pourquoi tuer ?

Il ne m'a pas compris. Il remplit un verre d'eau
fraîche :

– Buvez. Vous êtes fatigué.

– Je ne suis pas fatigué.

– George… Qu'avez-vous ?

Il me regarde avec inquiétude et tendresse, comme un
père, me caresse la main. Mais je le sais déjà : je ne suis ni
avec lui, ni avec Vania, ni avec Erna. Je ne suis avec personne.

Je prends mon chapeau.

– Adieu, Andreï Petrovitch.

– George…

– Oui ?

– George, vous êtes malade : reposez-vous.

Silence. Puis je dis lentement :

– Je ne suis pas fatigué, je vais bien. Mais je ne ferai
plus rien. Adieu.

Dehors, la même boue ; de l'autre côté de la Neva, la
même flèche. Tout est gris, humide, angoissant.

4 octobre

J'ai compris : je ne veux plus vivre. Mes paroles, mes pensées, mes désirs me remplissent d'ennui. Les gens, leur vie, tout m'ennuie. Entre eux et moi, il y a une barrière. Il y a des limites sacrées. La mienne, c'est le glaive rouge.

Enfant, je regardais le soleil. Il m'aveuglait, me brûlait de ses rayons éclatants. Enfant, j'ai connu l'amour – les caresses maternelles. J'aimais innocemment les gens, j'aimais joyeusement la vie. A présent, je n'aime personne. Je ne veux et ne sais plus aimer. En un instant, le monde est devenu maudit et vide pour moi : tout n'est que mensonge et vanité.

5 octobre

Quand le désir existait, j'étais dans le terrorisme. Maintenant, je ne veux plus de terreur. A quoi bon ? Pour la scène ? Pour des marionnettes ?

Je me rappelle : « Celui qui n'aime pas n'a point connu Dieu, parce que Dieu est amour. » Je n'aime pas et je ne connais pas Dieu. Vania le connaissait. Le connaissait-il ?

Et encore : « Heureux ceux qui n'ont pas vu, et qui ont cru[1] ! » En quoi croire ? Qui prier ? Je ne veux pas de prière d'esclave... Le Christ a pu allumer la lumière par le Verbe. Je n'ai pas besoin de sa douce lumière. L'amour

1. Jean, 20, 29.

peut sauver le monde. Je n'ai pas besoin d'amour. Je suis seul. Je vais quitter cette ennuyeuse baraque de foire. Et même si dans les cieux s'ouvre le temple, je dirai : tout n'est que vanité et mensonge.

C'est une journée claire et songeuse. La Neva brille au soleil. J'aime sa surface majestueuse, le sein de ses eaux profondes et paisibles. Un coucher de soleil désenchanté sombre dans la mer, le pourpre du couchant rougeoie. Les vagues clapotent tristement. Les sapins baissent leurs ramées. Odeur de résine. Quand s'allumeront les étoiles et que tombera la nuit d'automne, je dirai mon dernier mot : j'ai mon pistolet sur moi.

Cet ouvrage
a été reproduit et achevé d'imprimer
en janvier 2003
dans les ateliers de Normandie Roto Impressions S.A.S.
61250 Lonrai
N° d'imprimeur : 03-0116

Imprimé en France

Dépôt légal : février 2003
I.S.B.N. : 2-85940-879-7
I.S.S.N. : 1157-3899